Remerciements

Nous voudrions remercier Tom Grady qui nous a soutenus et encouragés tout au long de la création de cet ouvrage. Notre gratitude va aussi aux personnes suivantes, sans qui ce livre ne serait encore qu'un rêve : Ray Peekner ; Robert Unell ; Millie Wyckoff ; Candace Hanlon ; Dr William Cameron ; Margaret Baldwin ; the Greater Kansas City Mothers of Twins Club ; Linda Surbrook ; Laura Bloent ; Michelle Lange ; Edie Nelson ; Josephine B. Coleman ; Valerie Bielsker ; Kathy Mohn ; Wilma Yeo ; et tous les parents qui ont soumis leurs problèmes à notre attention et trouvé le temps et la ténacité de les résoudre avec nous.

Avant-propos

Le fait d'être parent constitue notre plus grand défi, et le plus gratifiant aussi. Nos gestes quotidiens, nos paroles et nos attitudes contribuent, plus que tout autre facteur, à bâtir le monde de demain.

MARION WRIGHT EDELMAN

Tous les enfants, en particulier les enfants d'âge préscolaire, posent des problèmes de discipline à leurs parents. Les enfants parfaitement adaptés et ceux qui le sont moins, quels que soient leur race, leur religion, leur milieu économique et leur statut social, éprouvent des besoins tout comme leurs parents ont des besoins et des attentes à leur égard. Si ces besoins ne s'ajustent pas aussi parfaitement que les pièces d'un casse-tête et que les enfants ne voient pas les choses du même œil que leurs parents, les ennuis commencent.

Or, les parents peuvent tout au moins réduire les problèmes écrasants que pose l'éducation des enfants en apprenant à accorder leurs aptitudes parentales avec les besoins de leurs tout-petits. Cet ouvrage propose des solutions pratiques aux problèmes de comportement courants des enfants de un à cinq ans normaux et en bonne santé, solutions que les parents et les dispensateurs de soins peuvent appliquer dans le feu des conflits qui émaillent le cours normal de la vie familiale. Notre but est de montrer aux parents comment faire face aux problèmes de discipline d'une manière calme, cohérente et efficace, sans cris ni fessées. Nous voulons transformer les parents en «parents disciplinés», capables de conserver la maîtrise d'eux-mêmes quand leurs enfants perdent la leur.

Notre approche allie le meilleur de deux mondes, le monde professionnel et le monde parental. Il est écrit par des parents de bambins, de préadolescents et d'adolescents qui appuient leurs techniques de résolution de problèmes sur des faits et vous présentent des données expérimentales sans verser dans le jargon théorique. Au cours des vingt dernières années, nous avons étudié ensemble la psychologie du développement et la psychologie de l'enfant au niveau universitaire ; exercé les fonctions de psychologue dans un hôpital d'État pour enfants et au sein d'un important district scolaire suburbain ; dirigé de nombreux groupes de parents, séminaires et ateliers à l'échelle nationale ; œuvré en tant que consultants auprès de commissions scolaires et de centres de santé mentale ; enseigné la psychologie à l'université ; écrit de nombreux textes sur les parents et les enfants ; et élevé quatre enfants.

Les principes relatifs à la résolution de problèmes et les méthodes disciplinaires proposés ici s'inspirent du mouvement de la psychologie comportementale des années 1960 et 1970, qui étudiait le comportement des enfants dans les milieux «réels» que fréquentaient la plupart d'entre eux : maison, école et terrain de jeux.

Depuis la publication de la première édition de ce livre, de nouveaux sujets de préoccupation ont fait leur apparition. Nous en traitons dans cette nouvelle version :

1. La relation entre la violence à la maison et à l'école ;
2. Le rapport entre les jeux avec des armes jouets et l'utilisation d'armes réelles à l'école ou ailleurs ;
3. Le débat sur le recours à la fessée et sur ses conséquences ;
4. L'influence des médias électroniques (Internet, jeux électroniques, etc.) sur le comportement ;
5. La question du déficit de l'attention avec hyperactivité ;

6. Les causes profondes et les conséquences de l'obésité chez les enfants;

7. Le défi de la discipline dans les familles monoparentales;

8. Le rôle prépondérant des parents sur l'éveil de l'empathie chez les enfants.

Nous avons voulu faire de ce livre un outil de référence pratique pour les parents aux prises avec les problèmes quotidiens que pose l'éducation des enfants, une sorte de «manuel de premiers soins» à consulter en cas de mauvaise conduite. Ce livre reconnaît le besoin qu'ont les parents de trouver des réponses succinctes, directes et pratiques à leurs questions. Il offre des conseils sur la façon de prévenir et de régler les problèmes de comportement. Il présente aussi des «histoires de cas» qui illustrent comment un certain nombre de familles fictives appliquent les stratégies proposées pour régler de vrais problèmes.

Qu'est-ce qu'un enfant d'âge préscolaire?

Aux fins de ce livre, ces jours et ces nuits de terreur et de métamorphoses au cours desquels l'enfant d'un an semble se transformer soudain en adulte miniature de cinq ans forment les années préscolaires. Pour nous, l'enfant d'âge préscolaire est un enfant qui ne va pas encore officiellement à l'école; cette catégorie englobe les tout-petits qui commencent à marcher, mais non les bébés.

Les nouveau-nés et les bébés de moins de un an sont des créatures uniques, essentiellement gouvernées par des besoins (de nourriture, de sommeil et de contacts humains) généralement comblés par des soins physiques et émotifs de base, et non par des stratégies de nature psychologique. C'est pourquoi ce livre met surtout l'accent sur l'enfant plus âgé dont les comportements donnent lieu à l'éducation parentale, qui saura fournir aux parents les outils nécessaires pour aider leurs enfants à devenir des adultes sains et heureux. L'apport crucial de l'éducation des parents au stade de l'âge préscolaire prépare l'enfant à l'école. (*Voir « La transition vers l'école primaire pour vous et pour votre enfant », page 27*).

Veuillez lire les jalons du développement de l'enfant présentés à l'Annexe 2 (*voir page 238*) et « Les différences entre les garçons et les filles » (*voir page 26*) avant d'appliquer les recommandations figurant aux rubriques « À faire » et « À éviter ». Vous comprendrez mieux les principales caractéristiques du comportement des enfants de un à cinq ans, avant de commettre l'erreur de les juger anormaux ou de vous blâmer pour la mauvaise conduite du vôtre. Ainsi, pour comprendre pourquoi votre bambin de deux ans dit toujours non, il est utile de savoir que le négativisme fait partie du comportement normal d'un enfant de cet âge. Ces renseignements vous aideront à déterminer si un comportement donné pose un problème dans votre famille.

Introduction

Les années préscolaires sont cruciales dans le développement de l'enfant. C'est durant cette période qu'il fait l'apprentissage de la vie sur les plans physique, émotionnel et intellectuel. Au mieux, les enfants d'âge préscolaire sont curieux, inventifs, impatients d'apprendre et indépendants. Au pire, ils sont têtus, inhibés et crampons. Tant leur personnalité caméléon que leur ignorance de la logique des adultes en font des élèves difficiles pour qui s'emploie à leur inculquer des notions de bonne conduite. Les enfants d'âge préscolaire sont sollicités de toutes parts et leur enseigner quoi que ce soit — le but profond de toute discipline — équivaut parfois à travailler un sol meuble et parfois à se heurter la tête contre un mur de briques.

Cela ne devrait pas nous étonner outre mesure. Les parents et les enfants d'âge préscolaire présentent habituellement une différence d'âge d'au moins vingt ans tandis que l'écart entre leur expérience, leur capacité de raisonnement et leur maîtrise de soi se mesure en années-lumière. De plus, leurs idées, leurs sentiments, leurs attentes, leurs croyances et leurs valeurs à l'égard d'eux-mêmes, des autres et du monde en général sont totalement opposés.

Par exemple, les enfants ne naissent pas en sachant que l'on n'écrit pas sur les murs. Ils n'apprendront les façons souhaitables d'exprimer leurs talents artistiques que si leurs parents persistent à leur montrer où ils peuvent écrire, les félicitent pour leur bonne conduite et leur expliquent les conséquences de toute transgression.

En même temps, les enfants ont leurs propres besoins, désirs et sentiments qu'ils sont pour la plupart incapables d'exprimer clairement. Pendant les cinq premières années de leur vie, ils luttent pour devenir des êtres humains indépendants et n'aiment pas être «élevés» par leurs aînés.

Les visées ultimes des parents sur leurs enfants d'âge préscolaire sont les buts immédiats qu'ils recherchent pour eux-mêmes, soit la maîtrise de soi et l'autonomie. Quand les parents comprendront que leur enfant n'a pas la même horloge biologique qu'eux et que tous les enfants n'ont pas la même capacité d'apprendre, ils pourront fonder la communication sur l'empathie, la confiance et le respect.

La première tâche qui attend les parents d'enfants d'âge préscolaire consiste à leur enseigner d'une manière qu'ils peuvent comprendre comment se comporter dans l'univers intime de la maison et en public. Quand les parents subissent les colères de leurs enfants, par exemple, ils ne visent pas uniquement à rétablir le calme et l'ordre dans leur maison, mais ils veulent, en fin de compte, leur montrer comment exprimer leur frustration et leur colère d'une manière plus appropriée. Et en tant que maîtres de discipline, les parents doivent donner l'exemple, adopter les comportements qu'ils veulent enseigner à leurs enfants et leur communiquer leurs valeurs de manière qu'elles deviennent aussi importantes pour ceux-ci qu'elles le sont pour eux-mêmes.

Bâtir l'équilibre émotif de nos enfants

Les enfants qui se sentent maîtres de leur destinée, qui éprouvent un profond sentiment d'appartenance et qui se savent compétents ont plus de chance de devenir des personnes fortes. Ce livre vous apprendra que les enfants se développent plus harmonieusement dans un milieu familial où les parents :

- aident leurs enfants à devenir responsables de leurs actes;
- établissent un climat empreint d'amour basé sur la confiance;
- enseignent à leurs enfants comment prendre des décisions et résoudre des conflits;
- apprennent à leurs enfants à considérer les erreurs comme des défis à relever plutôt que comme des échecs.

Être parent n'est pas facile

Parce que l'enfance est une période qui entraîne naturellement des problèmes et des conflits, il faut se poser un certain nombre de questions avant de classer un comportement dans la catégorie «problèmes».

Réfléchissez à la fréquence du comportement indésirable
Évaluez l'intensité de ce comportement. Si votre enfant se fâche facilement, par exemple, c'est peut-être sa façon à lui d'exprimer sa déception. Par contre, s'il pique des colères si violentes qu'il risque de se blesser ou de blesser d'autres personnes, vous devriez peut-être chercher au moins à réduire l'intensité de sa colère.

Évaluez votre tolérance à l'égard du comportement indésirable
Par exemple, vos préjugés, vos besoins ou les règles que vous avez édictées peuvent vous inciter à tolérer et même à trouver amusants certains comportements que d'autres parents jugent intolérables. Toutefois, les autres adultes jouent aussi un rôle dans la définition des problèmes. Se demander: «Que penseront les voisins?» déplace le problème à l'extérieur de la famille. Le parent qui accepte un comportement à la maison peut se rendre compte que les autres ne l'approuvent pas et décider d'y mettre bon ordre.

Donc, en ce qui concerne les parents, un comportement pose un problème soit dans leur optique à eux soit dans celle des autres. Les enfants ne voient pas leurs colères comme un problème ; ils n'ont simplement pas encore appris des façons plus appropriées de se dominer ou de satisfaire leurs besoins.

Afin de régler efficacement les problèmes comportementaux de leurs enfants, les parents doivent *eux-mêmes* se discipliner (la discipline étant vue ici comme une méthode d'enseignement et d'apprentissage qui engendre l'ordre et la maîtrise de soi). Le comportement des parents doit changer avant celui des enfants, et les parents doivent devenir «disciplinés» eux-mêmes avant de discipliner leurs enfants.

La discipline dans les familles monoparentales

Élever seul un jeune enfant constitue une lourde tâche, même pour le meilleur des parents, du fait qu'il s'agit initialement d'un rôle qui demande un effort collectif. Le fait d'être parent exige une disponibilité vingt-quatre heures par jour, sept jours par semaine, et une bonne dose de patience. Pour être en mesure d'amener l'enfant à acquérir indépendance, autonomie, amour et conscience des autres, la participation des deux parents est idéale, tant pour l'établissement des stratégies et des règlements à adopter que pour le partage des tâches. Malheureusement, cela n'est pas toujours possible.

Au lieu d'essayer de contrôler ce que l'autre parent fait ou ne fait pas, mieux vaut pour chaque parent d'appliquer une discipline efficace qui aide l'enfant à développer un comportement responsable, une attitude positive et sa force de caractère. Comme tous les autres parents, la mère ou le père monoparental ont aussi besoin de se créer un cercle de personnes aidantes, qu'il s'agisse du personnel de la garderie, de la maternelle, d'une gardienne d'enfant ou des membres de la famille élargie.

L'ABC d'une éducation disciplinée

Cette partie résume plus de quarante ans de recherches sur le comportement prouvant qu'il importe, pour des raisons tant pratiques que philosophiques, de «séparer l'enfant de son comportement» quand il se conduit mal. Insulter un enfant parce qu'il n'a pas rangé ses jouets ne l'incite pas à le faire et ne lui enseigne pas l'ordre. Cela ne contribue qu'à détruire son estime de soi et peut même l'ancrer dans son refus. Mieux vaut, pour l'amour-propre de l'enfant, se concentrer sur des façons précises et constructives de modifier son comportement. À partir de ce principe, il existe un certain nombre de règles élémentaires.

Cernez le comportement précis que vous désirez changer
Vous obtiendrez de meilleurs résultats en vous concentrant sur des points précis plutôt qu'abstraits. Ainsi, ne vous contentez pas de dire à votre enfant d'être «ordonné»; expliquez-lui que vous voulez qu'il ramasse ses blocs avant d'aller jouer dehors.

Expliquez clairement à votre enfant ce que vous attendez de lui et apprenez-lui comment faire
Si vous voulez que votre enfant cesse de geindre quand il veut quelque chose, apprenez-lui comment le demander. En guidant manuellement l'enfant à travers l'action désirée, vous l'aidez à comprendre précisément ce que vous attendez de lui.

Complimentez l'enfant qui a adopté le comportement désiré
Ne félicitez pas l'enfant, mais plutôt son action. Par exemple, vous pourriez dire: «J'apprécie que tu restes assis calmement» plutôt que «Tu es gentil de rester assis calmement». Axez vos éloges ou vos réprimandes sur le comportement de l'enfant parce que c'est précisément ce que vous cherchez à maîtriser.

Faites l'éloge comportement approprié aussi longtemps que nécessaire

En louant toutes les bonnes actions de votre enfant, vous lui rappelez vos attentes et continuez de lui donner l'exemple d'une bonne conduite. Les parents qui veulent que leur enseignement soit efficace ont intérêt à donner l'exemple. Les éloges réitèrent la bonne façon de faire les choses.

N'engagez pas de luttes de pouvoir avec vos enfants

En recourant à une technique comme la course contre la montre (*voir Annexe 3, page 245*) afin d'accélérer les préparatifs du coucher, vous contribuez à résoudre le conflit parent-enfant en transférant l'autorité sur un objet neutre, en l'occurrence un minuteur.

Soyez présent

Il ne s'agit pas d'être à côté de nos enfants à chaque instant, mais il faut les surveiller. Si les parents sont présents quand les enfants jouent, ils peuvent leur inculquer de bonnes habitudes de jeu et améliorer leur comportement. En l'absence de surveillance étroite, de nombreux écarts de conduite passeront inaperçus.

Ne lui rappelez pas ses bévues

Reléguez les écarts de conduite aux oubliettes et ne les ramenez pas constamment sur le tapis. Si votre enfant a commis une erreur et que vous la lui remettez sans cesse sur le nez, cela ne fera que provoquer du ressentiment chez lui et l'inciter à récidiver. Ce qui est fait est fait. Mieux vaut se concentrer sur l'avenir que s'appesantir sur le passé. Loin d'indiquer à votre enfant la bonne conduite à adopter, l'évocation de ses erreurs ne fait qu'ériger celles-ci en exemples de ce qu'il ne faut pas faire. De plus, cela l'entraîne à commettre des erreurs.

Les cris et les fessées vont à l'encontre du but recherché

Les principes ci-dessus énoncent ce que nous en tant que parents devrions faire quand un enfant se conduit mal. Le plus souvent, toutefois, nous crions et nous corrigeons nos enfants, surtout quand nous sommes fatigués ou distraits, ou que nous nous sentons impuissants face à leur désobéissance. Il s'agit là de réactions assez naturelles mais plutôt absurdes aux écarts de conduite, surtout répétés. Le fait de crier ou de frapper un enfant ne lui enseigne *jamais* à adopter le comportement souhaité, ce qui est pourtant la tâche première de l'éducation. En fait, tout au contraire, cela apprend à l'enfant :
- à crier ;
- à frapper ;
- à être sournois ;
- à craindre ;
- à se sentir honteux ;
- à diriger sa colère contre les autres.

Les punitions sévères entraînent souvent plus de problèmes qu'elles n'en résolvent. D'abord, les cris et les fessées donnent aux enfants un mauvais type d'attention et, si c'est la seule forme d'attention qu'ils reçoivent, ils se conduiront mal dans le seul but de se faire remarquer. En outre, la plupart du temps, les parents ignorent si les raclées sont efficaces parce qu'ils ne voient pas leurs effets à long terme sur le comportement de l'enfant. Les punitions ne font que rendre l'inconduite clandestine : elles l'empêchent de se produire devant les parents, sans l'arrêter. Les enfants deviennent alors très habiles à ne pas se faire prendre. Certains parents disent même : «Que je ne t'y prenne pas une autre fois !»

Cependant, dans la hiérarchie du développement moral (telle que l'a définie Lawrence Kohlberg), le niveau le plus bas consiste à obéir aux règles à la seule fin d'éviter les punitions et le plus élevé, à obéir aux règles parce qu'elles sont justes et bonnes. En frappant régulièrement nos enfants parce qu'ils se conduisent mal, nous les empêchons de dépasser le niveau inférieur du développement moral : ils cherchent alors à éviter les punitions et non à faire ce qui est juste ou bien.

La fessée constitue aussi le modèle des premières expériences de l'enfant avec la violence. Les enfants apprennent à devenir violents grâce à l'exemple que leur donnent les adultes –, raison de plus éviter de les frapper, d'autant plus que les enfants sont de plus en plus témoins de violence dans les médias (*voir «L'utilisation d'armes jouets» page 162*). On peut difficilement justifier l'avertissement : «Pas de coups!» quand on frappe soi-mêmes ses enfants pour des vétilles.

La perception des enfants est toute pragmatique. Si un adulte a le droit de frapper un enfant, le contraire, jugent-ils, est alors aussi vrai. La violence engendre la violence, de même que la colère, la vengeance et la rupture de la communication entre les parents et les enfants.

Le message *premier* véhiculé par des parents qui crient ou frappent est que les adultes, plus forts et plus grands, peuvent, s'ils sont mécontents, contraindre, terroriser ou faire souffrir. Le fait de se sentir victime et sans défense face à une personne plus grande et plus forte fait naître chez l'enfant crainte et anxiété, et peut même le pousser à avoir recours à la violence s'il se sent contrarié.

Frapper un enfant n'apporte rien de positif. En fait, le rapport étroit qui existe entre la victimisation d'un enfant et les problèmes inévitables de gestion de la colère qu'il éprouvera plus tard dans sa vie souligne l'importance de la politique de tolérance zéro face à la violence faite aux enfants, que ce soit à la maison, à la garderie, à la maternelle ou dans tout autre contexte. Toutefois, cette politique ne doit pas déboucher sur des poursuites au criminel, mais plutôt constituer les bases d'une éducation dédiée à l'éclosion de comportements appropriés.

La violence, ça s'apprend

De nombreuses études ont été menées pour tenter de trouver la cause des comportements violents chez les enfants et les adultes, avec des résultats quelque peu controversés. Mais les travaux du docteur Lonnie Athens, cités dans le livre de Richard Rhodes intitulé *Why They Kill* – (Pourquoi ils tuent), présentent des arguments solides expliquant le développement de la violence chez les adultes.

Le docteur Athens a mené plusieurs entrevues auprès de personnes emprisonnées pour cause de violence. Il en ressort que les enfants qui ont été souvent victimes de violence, menacés ou encore témoins de mauvais traitements, risquent fort de considérer la violence comme moyen de régler les problèmes, d'obtenir ce qu'ils désirent ou de se protéger contre toute menace. En réaction à toute cette violence, ces enfants se forgent une réputation du type «moi, personne ne me marche sur les pieds». Leur mauvaise réputation nourrit leur orgueil et la violence devient un mode de vie. Tout adulte responsable d'un enfant se doit de prendre conscience des conséquences désastreuses de l'usage de la violence sous toutes ses formes.

L'importance de l'empathie

L'empathie est la faculté de s'identifier à quelqu'un, de ressentir ce qu'il ressent et de comprendre les raisons de sa conduite. Tous les enfants naissent avec cette capacité. Des études démontrent cependant que cette habileté varie d'un enfant à l'autre, au fil du développement propre à chacun, et que les filles sont plus aptes que les garçons à saisir les émotions chez les autres. Néanmoins, à l'âge de deux ans, tant les garçons que les filles sont conscients des émotions des autres. À quatre ans, un enfant est à même de comprendre pourquoi un autre à ressenti une émotion. Mais pour que l'empathie croisse et s'épanouisse chez leurs enfants, les parents se doivent de favoriser son développement.

Le respect de l'individualité de l'enfant, avec tout ce que cela comporte de compréhension et d'acceptation, constitue la pierre d'assise de l'éclosion de l'empathie chez lui. Ainsi, par exemple, en réponse à un comportement inapproprié de son enfant, si le parent commence sa phrase par «Je suis désolé que tu aies choisi de faire cela…», il démontre qu'il est conscient des sentiments de son enfant et de sa situation. En faisant ressortir les effets de son comportement sur les autres, le parent peut même profiter de cette occasion pour aider son enfant à développer son empathie.

En revanche, le recours aux cris ou aux coups en réaction aux comportements des enfants mine leur habileté à faire preuve d'empathie. La colère des parents leur apprend à réagir sans tenir compte des sentiments d'autrui, ce que l'on veut éviter par-dessus tout. Les études menées par le docteur JoAnn Robinson, de l'Université du Colorado, le démontrent d'ailleurs très bien. Selon ses recherches, un amour maternel réconfortant se traduit par un accroissement de l'empathie chez l'enfant de deux ans, alors que l'enfant confronté à la colère d'une mère voit sa faculté d'empathie diminuer. Et sans empathie, il est presque impossible pour un enfant de partager ses jouets, de jouer en harmonie avec les autres, d'éviter de réagir avec colère et violence à l'adversité et de se responsabiliser pour ses actes.

Si vous utilisez les stratégies positives proposées dans ce livre, non seulement vous nourrirez votre habileté à faire preuve d'empathie mais vous aiderez par le fait même votre enfant à devenir un adulte empathique, aimant et attentionné.

L'autosuggestion

Dans ce livre, nous encourageons les parents à recourir à ce que nous appelons l'autosuggestion afin de ne pas se laisser dominer par des pensées irrationnelles. On peut définir l'autosuggestion comme les réflexions que l'on se fait mentalement et qui gouvernent notre comportement. Par exemple, si un parent dit : «Je ne peux pas supporter que mon enfant se lamente !», sa tolérance face aux lamentations accusera une forte baisse. Si, par contre, ce même parent pense : «Je n'aime pas entendre mon enfant se lamenter, mais je n'en mourrai pas», non seulement il augmentera son niveau de tolérance, mais encore il trouvera une façon appropriée de modifier ce comportement.

L'autosuggestion devient alors une façon de se prédisposer au succès plutôt qu'à l'échec. Comme nos réflexions intérieures sont les messages les plus importants que nous recevons, l'autosuggestion est un outil formidable pour les parents d'enfants d'âge préscolaire. Si, grâce à l'autosuggestion, ils arrivent à se calmer dans les moments de stress, ils seront plus enclins à prendre des mesures raisonnables et responsables.

Certains parents se court-circuitent parfois eux-mêmes en croyant qu'il vaut mieux «faire comme tout le monde». Ainsi, par exemple, si les parents d'un ami de votre enfant laissent les jeunes utiliser leur lit comme trampoline, vous pourriez vous sentir obligé de faire de même de peur de ne pas être accepté dans le «club des bons parents». Cette pression des pairs peut être sans conséquence quand, par exemple, elle vous fait acheter une certaine marque de beurre d'arachide parce que les autres le font. Mais elle peut aussi être néfaste si elle vous pousse à crier et à frapper vos enfants parce que les autres parents le font. Au lieu de suivre le courant, écoutez plutôt votre cœur et fiez-vous à votre bon sens et à vos connaissances pour amener votre enfant à devenir une personne responsable, autonome et respectueuse.

La différence entre les garçons et les filles

Pour mieux interpréter le comportement de votre enfant d'âge préscolaire et pour distinguer un comportement normal d'un comportement déviant, il est utile de comprendre comment fonctionnent les garçons et les filles. Cela vous permettra de plus d'éviter de comparer vos enfants de sexe différent.

Les recherches ont démontré que les garçons et les filles diffèrent au niveau de la structure et de la chimie du cerveau et, naturellement, des hormones. Des différences expliquent en grande partie les dissemblances comportementales entre garçons et filles. Chez les garçons, le cerveau se développe plus lentement que chez les filles. De plus, l'hémisphère gauche, qui contrôle la pensée, se développe plus lentement que l'hémisphère droit, qui contrôle les relations spatiales. Il en résulte que la connexion entre les deux hémisphères n'est pas aussi bien établie chez les garçons qui, de façon générale, possèdent de meilleures habiletés en mathématique et en raisonnement, mais de moins bonnes aptitudes en langage et en lecture.

Le cerveau des filles se développe plus également, ce qui leur permet d'utiliser les deux hémisphères. Ainsi elles apprivoisent plus rapidement la lecture et sont entre autres davantage conscientes des émotions. La plupart du temps, le cerveau féminin fonctionne, permettant aux filles de mener avec succès plusieurs tâches de front. Leur cerveau sécrète également davantage de sérotonine, un neurotransmetteur qui inhibe l'agressivité.

Par ailleurs, le cerveau des garçons sécrète plus de testostérone, une hormone liée à l'agressivité. Il en résulte que les garçons, de façon générale, recherchent la satisfaction immédiate (manger en vitesse, sauter d'une activité à une autre), s'orientent rapidement vers la résolution de problèmes (même dans des situations très émotives) et s'engagent dans des activités génératrices de tension (sports, compétitions et jeux). Ces comportements leur permettent de relâcher leur trop plein d'énergie.

Voici d'autres différences entre les enfants des deux sexes :
- Les garçons préfèrent se concentrer sur une seule tâche à la fois, et ils réagissent plus agressivement aux interruptions ;
- Chez les filles, les activités motrices atteignent moins rapidement un pic, sont moins vigoureuses et durent plus longtemps ;
- Les garçons inventent des jeux, ont davantage besoin d'espace et jouent plus souvent à l'extérieur ;
- Les filles se concentrent plus longtemps sur une activité et s'y adonnent moins activement ;
- Les filles font d'avantage confiance à leurs cinq sens ;
- Les garçons interprètent plus facilement ce qu'ils perçoivent de l'œil gauche, qui transmet l'information à l'hémisphère droit ;
- À l'âge de cinq ans, le développement général des filles est en avance de six mois sur celui des garçons ;
- Les garçons qui se considèrent forts physiquement recherchent des jeux rudes ;
- Les garçons qui se sentent en sécurité et compétents recherchent l'indépendance à un plus jeune âge que les filles ;

Ces différences constituent des généralisations basées sur les nombreuses études menées sur le développement des garçons et des filles. Il va sans dire que chaque enfant, dans son individualité, peut présenter des caractéristiques qui s'éloignent de ces tendances.

La transition vers l'école primaire pour vous et pour votre enfant

Les enfants âgés de un à cinq ans sont au stade dit «préscolaire», c'est-à-dire qu'ils acquièrent l'autodiscipline et la sociabilité, aptitudes nécessaires pour pouvoir fonctionner dans l'environnement organisé et réglementé de l'école primaire. Mais qui est responsable de cette socialisation? Ce sont les parents, les éducateurs des services de garde, les entraîneurs sportifs, les amis, les membres de la famille élargie, les voisins qui jouent tous un rôle important dans l'enseignement de vertus telles que l'empathie, la patience, la maîtrise de soi, le sens des responsabilités, le respect, la coopération, le courage, la politesse, la persévérance et l'honnêteté.

Le fait de maintenir le cap sur de telles valeurs morales permet de guider les enfants dans leur voyage les menant du statut de «petits» préscolaires à celui de «grands» écoliers du primaire. D'où l'importance cruciale d'entourer les enfants d'âge préscolaire de personnes qui savent transmettre ces valeurs. Les enfants doivent apprendre à jouer dans un esprit de coopération et à devenir de plus en plus autonomes lorsque séparés de leurs parents. Les années préscolaires constituent la base sur laquelle s'appuiera la capacité d'apprendre des enfants.

Dans notre livre intitulé *The Eight Seasons of Parenthood* (Les huit saisons de la paternité et de la maternité), nous décrivions comment les agissements des enfants d'âge préscolaire poussent les parents à jouer le rôle de «gérants de famille» dans leur enseignement des comportements appropriés. Alors que les enfants se transforment du statut d'êtres dépendants et sans défense, incapables de se mouvoir seuls, en personnes mobiles et capables de faire les choses par elles-mêmes, les parents se doivent de devenir des gestionnaires hors pair dans les domaines du travail, de la cuisine, de l'entretien ménager, du transport et des jeux, tout en étant les premiers et les plus importants éducateurs de leurs enfants. Être parent signifie beaucoup plus que donner naissance à un être. C'est un processus de développement qui dure toute la vie.

Mode d'emploi

Pour utiliser efficacement ce livre, considérez chaque point de la rubrique «À faire» comme une solution à un problème comportemental donné. Évaluez la gravité de votre problème et commencez par la mesure la plus légère. Une règle d'or, quand on veut amener un enfant à modifier son comportement, consiste à essayer d'abord la méthode douce. Cela signifie, en général qu'il faut montrer à votre enfant quoi faire et l'encourager sans s'appesantir sur ses erreurs. En cas d'échec, passez à la stratégie suivante jusqu'à ce que vous en trouviez une qui donne des résultats. En outre, comme il est tout aussi important de savoir ce qu'il faut éviter de faire en cas de crise comportementale, respectez autant que possible les interdictions de chaque section. Vous préviendrez ainsi l'aggravation ou la répétition des comportements indésirables.

Parce que les parents et les enfants sont des êtres uniques, certains termes et actions appliqués à des situations précises paraîtront plus naturels pour certains parents que pour d'autres. Changez un mot ou deux si vous n'êtes pas à l'aise avec le langage employé. Les enfants de un à cinq ans sont très sensibles aux sentiments et aux réactions subtiles de leurs parents. Faites en sorte que votre enfant croie ce que vous dites et faites, et il acceptera plus volontiers vos méthodes.

Les solutions proposées ici ont également pour but de montrer à votre enfant le type de respect que vous manifestez aux autres chez vous. Vos enfants apprendront le respect si vous les traitez avec respect. Traitez votre enfant comme s'il était votre invité. Cela ne veut pas dire qu'il ne devrait pas obéir aux règles, mais que vous devriez l'inciter à le faire d'une manière douce et respectueuse.

Depuis sa première parution, ce livre a servi de référence en matière de discipline à des milliers de parents et d'éducateurs. Nous sommes honorés du rôle important que nous jouons dans les premiers chapitres de la vie des familles. Votre voyage est aussi le nôtre, et la destination est la même : l'éducation des enfants d'âge préscolaire.

LES COMPORTEMENTS AGRESSIFS

Tels des éléphants dans un magasin de porcelaine, beaucoup de petites dynamos de moins de six ans lancent des jouets ou se précipitent contre les cibles les plus proches sous le coup de la frustration ou de la colère, ou simplement par exubérance. Pourquoi? Parce que le raisonnement ou le compromis ne comptent pas parmi leurs méthodes de résolution de problèmes et que lancer des livres ou des jouets ne semble pas plus méchant que lancer des balles. Aidez votre enfant à maîtriser son agressivité en lui montrant à bien s'entendre avec les autres. Expliquez-lui brièvement (même s'il n'a qu'un an) que frapper, mordre, lancer des objets et taquiner est inacceptable. Ensuite, montrez-lui les comportements que vous désirez qu'il adopte: embrasser, enlacer, parler, etc. Appliquez ces règles d'une manière ferme et constante afin de le guider sur la voie des comportements acceptables, et non sur celle de la destruction de soi-même et des autres.

Si le comportement agressif de votre enfant est une constante dans ses jeux quotidiens avec les autres et perturbe ses amis, sa famille et vous-même, adressez-vous à un professionnel pour découvrir ce qui se cache derrière sa frustration et sa colère.

Les mesures préventives

Surveillez étroitement ses jeux
Pour empêcher que votre enfant n'apprenne de ses amis à se comporter agressivement, surveillez la façon dont lui et ses amis prennent soin de leurs jouets. Ne laissez pas leurs comportements agressifs entraîner des blessures et des dommages. Traitez les écarts de conduite des amis de votre enfant comme vous traiteriez les siens.

Donnez l'exemple
Traitez vos biens comme vous voulez que vos enfants traitent les leurs. Par exemple, en frappant et en lançant des objets sous le coup de la colère, vous montrez à votre enfant à être agressif quand il est lui-même en colère.

Expliquez-lui que les coups et les morsures sont inacceptables
À un moment neutre, expliquez à votre enfant comment une personne se sent quand on la mord ou qu'on la frappe pour qu'il comprenne qu'un comportement agressif est désagréable pour les deux parties.

Les solutions

À FAIRE

Dites à votre enfant par quoi il peut remplacer les coups
Quand votre enfant manifeste de l'agressivité, suggérez-lui des comportements autres que les coups. Expliquez-lui qu'il peut demander de l'aide ou dire : « Je ne joue plus », et quitter le groupe pendant une minute. Faites-lui répéter cinq fois ce qu'il doit faire après lui avoir expliqué le sens des mots et la façon de les employer.

Félicitez votre enfant quand il s'entend bien avec les autres
Définissez ce comportement en exprimant à votre enfant que vous appréciez sa façon de partager ses jouets, d'attendre son tour ou de demander votre aide. Dites simplement: «C'est bien de partager avec tes amis, mon chéri» et soyez précis dans vos félicitations. Plus vous félicitez, plus le comportement collectif ou individuel est amical.

Réprimandez votre enfant
Réprimandez votre enfant pour qu'il comprenne que vous n'interrompez pas un comportement sans raison et que vous le croyez capable de comprendre pourquoi vous y avez mis fin. Une réprimande comprend trois parties: l'ordre d'arrêter («Cesse de donner des coups!»), un comportement de rechange («Si tu es en colère, quitte le groupe») et le motif de l'interruption («Les coups font mal!»). Si votre enfant continue d'être agressif, réitérez la réprimande en y ajoutant la commande «Temps mort!».

Oubliez l'incident quand il est terminé
En rappelant à votre enfant son agressivité passée, vous ne lui apprenez pas à se maîtriser, vous lui rappelez simplement qu'il pourrait l'être de nouveau.

À ÉVITER

Ne frappez pas votre enfant pour le corriger de son agressivité
En frappant votre enfant, vous ne faites que lui donner la permission de frapper dans certaines situations.

Ne vous fâchez pas quand votre enfant donne des coups
Vous lui laisseriez entendre qu'il peut recourir à l'agressivité pour vous dominer.

LES MORSURES DE MARIO

À l'âge de vingt-deux mois, Mario, à force de s'exercer sur ses deux frères aînés qui le taquinaient sans merci, s'était taillé une réputation de «mordeur» dans le quartier. Madame Boiron menaçait son benjamin dans l'espoir de voir cesser ce comportement agressif : «Si tu n'arrêtes pas de mordre, je te chaufferai les fesses», disait-elle, tout en sachant fort bien qu'elle ne mettrait jamais sa menace à exécution.

Les incessantes taquineries des deux aînés, respectivement âgés de trois et cinq ans, semblaient la laisser indifférente ; en fait, la famille tout entière avait coutume de blaguer à propos de tout et, pour elle, les taquineries de ses fils signifiaient tout simplement qu'ils avaient eux aussi le sens de l'humour. Or, son mari ne voyait pas les choses du même œil : «Songe à ce que doit ressentir Mario à force de se faire taquiner parce qu'il est le bébé.»

Bien qu'elle se refusât à l'admettre, madame Boiron n'avait jamais songé au problème du point de vue de son fils : lui-même taquinait en mordant parce qu'il ne pouvait pas se défendre contre les attaques verbales de ses frères. Elle décida d'interdire toute forme d'agression chez les trois garçons : dorénavant il serait interdit de mordre, de donner des coups, de taquiner et de lancer des objets. C'était la seule façon, se dit-elle, de montrer aux aînés à donner l'exemple et d'inciter Mario à choisir un jeu qui lui vaudrait de l'attention et des éloges.

Le lendemain, Mario se mit, comme à l'habitude, à mordre ses frères qui l'avaient traité de «petite peste». Madame Boiron commença par réprimander Mario calmement mais fermement: «Cesse de mordre. On mord les pommes, pas les gens. Les morsures font mal.» Elle réprimanda également ses frères: «Cessez de vous taquiner. Les taquineries sont blessantes.»

Comme les réprimandes ne suffisaient pas à couper court aux chamailleries des garçons, leur mère poursuivit: «Je regrette que vous vous mordiez et vous taquiniez mutuellement. Temps mort.» Puis, elle les assit tous trois sur des chaises différentes pendant un moment avant de les renvoyer à leurs jeux.

Comme madame Boiron appliquait sa discipline avec constance et félicitait ses fils chaque fois que l'harmonie régnait entre eux, ils apprirent les conséquences des comportements agressifs et des comportements amicaux: ces derniers leur valaient des récompenses et la vie était bien plus belle quand on ne passait pas son temps seul sur une chaise. Mario mordit de moins en moins, car il n'avait plus besoin de se défendre contre les taquineries de ses frères.

LA TIMIDITÉ

Imaginez que vous êtes au supermarché en compagnie de votre bambin de trois ans et que vous rencontrez votre voisine. Celle-ci lui dit : « Bonjour, Sam. Comment vas-tu ? » Votre fils se cache alors derrière vous et refuse de répondre à la question de votre voisine, qu'il connaît bien pourtant... Vous êtes décontenancée par ce comportement inhabituel et vous dites : « Mais que se passe-t-il, Sam ? Tu adores Katia, pourtant ! »

Vous n'êtes pas la seule à qui cela arrive. Des millions de parents voient un jour ou l'autre leur petit figé par la gêne devant un étranger. Certains enfants explorent le monde avec une curiosité débridée alors que d'autres avancent avec circonspection, choisissant de bien évaluer la situation avant de se lancer dans l'inconnu. Ces deux façons d'aborder le monde sont considérées comme normales et reflètent tout simplement un trait de caractère.

En d'autres mots, la timidité ne constitue pas un problème en soi, sauf si elle amène l'enfant à refuser de se faire des amis ou de participer à des activités en dehors de la maison, par exemple, aller à une fête d'enfant ou effectuer une visite à la bibliothèque.

Il est possible d'apprendre aux tout-petits à vaincre leur timidité et à avoir confiance en eux. Il suffit de leur montrer à se comporter en société et de leur faire répéter des situations où ils doivent interagir avec leurs pairs et avec des adultes.

Les mesures préventives

Nourrissez des attentes et des objectifs réalistes

Assurez-vous que le comportement que vous souhaitez que votre enfant adopte en présence d'étrangers est ajusté à son stade de développement. Par exemple, si vous forcez votre bambin de deux ans à participer à une fête d'enfant, vous n'arriverez qu'à nourrir sa peur. Les tout-petits ne parviennent à surmonter leur timidité que graduellement, au fil de leurs contacts avec les autres. Il ne faut pas s'attendre que la situation change du jour au lendemain.

Acceptez que votre enfant soit timide

Chaque enfant hérite d'un tempérament unique. Certains sont sociables et extravertis, certains sont circonspects et timides, et d'autres oscillent entre les deux. Si votre enfant est timide, ne lui donnez pas l'impression que quelque chose ne va pas avec lui uniquement parce qu'il ne répond pas à vos attentes. Acceptez-le tel qu'il est, avec son tempérament.

Complimentez votre enfant

Profitez que votre enfant exprime son opinion au fil d'une conversation pour le féliciter: «Tu as bien raison, Steve. C'est vrai que ce chiot est très original avec sa tache blanche au bout de la patte. J'aime quand tu me dis ce que tu aimes.»

Donnez-lui l'exemple

Rencontrez avec votre enfant des personnes qu'il ne connaît pas. Par ailleurs, intégrez dans ses jeux des situations qu'il est appelé à vivre et enseignez-lui comment se comporter en certaines circonstances: «Lorsque les gens me demandent comment ça va, je leur dis que ça va bien et je leur demande à leur tour comment ils vont. Maintenant, disons qu'on se promène sur la rue et qu'on rencontre Sarah et sa maman. Qu'est-ce qu'on fait?»

Les solutions

À FAIRE

Apprenez-lui à répondre à des questions

Un enfant qui a tendance à se replier sur lui-même au contact d'étrangers indique souvent que le moment est venu de lui apprendre à répondre à des questions. Profitez-en lorsque vous êtes en voiture ou à l'heure du bain. Par exemple : «Si une personne te dit : "Comment t'appelles-tu?", réponds-lui : "Je m'appelle Steve". Maintenant, essayons : Bonjour, mon beau garçon. Comment t'appelles-tu?» Répétez cet exercice plusieurs fois par jour, jusqu'à ce que votre enfant dise son nom spontanément.

Faites-le à participer à vos conversations en famille et entre amis

Offrez à votre enfant l'occasion de se mêler à vos conversations. Demandez-lui, par exemple : «Que dirais-tu si on mangeait de la pizza ce soir?» ou encore «Parle à Émile de ton voyage au zoo aujourd'hui.»

Si nécessaire, demandez l'avis d'un professionnel

Si votre enfant se sent malheureux, refuse de participer à des activités ou se sent misérable à cause de sa timidité, n'hésitez pas à demander l'aide d'un professionnel.

À ÉVITER

Ne le blâmez pas et ne l'humiliez pas

L'enfant qui sait qu'il ne sera ni blâmé ni d'humilié lorsqu'il fait des erreurs, surmontera plus facilement sa timidité. Si votre enfant renverse du lait, dites-lui : «Cela n'est pas grave. Nous allons tout simplement nettoyer ce dégât ensemble.»

Ne recourez pas à l'humiliation ni à la punition

Même si la timidité de votre enfant vous embarrasse, il ne sert à rien de l'humilier et de le punir. Une telle attitude ne l'aidera ni à avoir confiance en lui ni à se sentir plus à l'aise en société. Au contraire, si vous tentez de d'excuser votre petit en disant aux autres qu'il est timide ou têtu, sa peur des autres ne fera qu'augmenter.

Ne suppliez pas votre enfant

Résistez à la tentation de supplier votre enfant de répondre à la gentille dame qui lui pose une question. Cela ne fera que l'ancrer dans son refus et l'amènera à se replier encore davantage sur lui-même à l'avenir.

N'étiquetez pas votre enfant

Le fait d'excuser votre enfant auprès de votre famille et de vos amis en l'étiquetant de «timide» risque de renforcer ses comportements de retrait.

LE PRIVILÈGE DE CONNAÎTRE ÉDOUARD

Édouard était un bébé craintif et timide qui détournait la tête ou enfouissait son visage dans l'épaule de sa mère afin de se soustraire aux attentions des gens qu'il ne connaissait pas. Mathieu, son père, avait lui aussi été un enfant timide et Léona, la mère de Mathieu, disait que rares étaient les personnes, à part les membres de sa famille, qui avaient pu converser avec lui avant qu'il ne soit adolescent.

Maryse, la mère d'Édouard, espérait que son fils ne suive pas les traces de son père, mais à cinq ans, «Édouard le timide», comme elle l'appelait, ne montrait aucun signe d'ouverture aux autres.

Son père ne comprenait que trop bien ce que ressentait son fils en présence d'étrangers. Aussi, il résolut de l'aider. En

---

premier, il eut avec lui des conversations où il devait répondre à ses questions par des phrases plus longues que «oui» ou «non». Mathieu demandait: «Qu'as-tu mangé ce midi?» ou «À quoi as-tu joué au jardin d'enfant?» Lorsque son fils lui répondait par une phrase complète, son père lui disait: «J'aime que tu me racontes ce qui t'arrive» ou «C'est très intéressant, cette histoire d'avion que tu as inventée au terrain de jeu».

Mathieu joua également avec son fils à faire semblant d'accueillir les gens. Les deux mimaient une rencontre et Édouard devait dire: «Bonjour! Comment allez-vous?» et Mathieu devait répondre: «Bien, merci. Et vous, comment allez-vous?», puis les deux éclataient de rire. Petit à petit, Édouard se sentit plus à l'aise avec les gens qu'il ne connaissait pas. Bientôt ses oncles et ses tantes le félicitèrent pour sa politesse.

Les parents d'Édouard étaient heureux de voir que leur enfant ne suivait pas les traces de son père. C'était pour eux une grande joie que de le voir sortir de sa coquille. Par ailleurs, ils se sont juré que plus jamais ils ne mettraient d'étiquette sur le comportement de leur fils.

L'ENFANT APATHIQUE

Dans notre monde régi par la haute technologie, l'envahissement de la télévision et de jouets qui n'exigent aucun effort amène trop souvent l'enfant à préférer faire marcher ses doigts plutôt que ses jambes. Le tout-petit a cependant besoin de bouger afin de pouvoir se développer harmonieusement, tant physiquement que mentalement. Résistez à l'envie de vous offrir de du temps libre en installant votre enfant devant la télé ou l'ordinateur. Naturellement, certains jeux vidéo et émissions de télé ont un contenu intéressant et éducatif, mais c'est le fait de passer des heures assis devant le petit écran qui a des conséquences fâcheuses pour votre enfant. En effet, ce faisant, il s'initie à un mode de vie sédentaire qui est responsable de plusieurs problèmes de santé dans notre société.

Les moyens préventifs

Éteignez la télé

Une association de pédiatres américains (American Academy of Pediatrics) recommande aux parents de réduire à deux heures par jour le temps que leur enfant d'âge préscolaire passe devant la télé. Le fait de limiter les activités passives encourage l'enfant à être plus créatif et moins agressif.

Bougez, que diable, bougez!

L'activité physique stimule l'esprit et le corps des parents et des enfants. Le fait de jouer à sauter, à galoper, à courir et à d'autres activités physiques tonifie les muscles de votre enfant et améliore la qualité de son sommeil.

Exploitez votre créativité

Ne laissez pas votre enfant absorber comme une éponge toutes les images qui passent à la télévision. Encouragez-le plutôt à construire des forts, à inventer des jeux, à dessiner, à faire des collages, etc., afin de stimuler son corps et son esprit.

Les mesures préventives

À FAIRE

Ayez recours au minuteur

Il est facile d'«oublier» votre enfant devant le téléviseur. Utilisez le minuteur afin de déterminer l'heure à laquelle votre enfant doit éteindre la télé et félicitez-le lorsqu'il se tourne vers une autre activité: «C'est formidable que tu joues à l'école au lieu de regarder la télé.»

Encouragez à votre enfant à être actif

Les jeunes enfants apprennent principalement par imitation et la meilleure façon de les amener à bouger est de passer à l'action vous-même. Ils auront davantage tendance à choisir des jeux plutôt que la télévision s'ils vous voient cuisiner, nettoyer, faire le lavage, écrire, faire de l'exercice, visiter des amis, payer les comptes, travailler à l'extérieur et jouer avec eux. Évitez de vous écraser devant la télé pendant des heures en leur présence.

Encouragez-le lorsqu'il choisit une activité

Félicitez votre enfant lorsqu'il bouge et encouragez-le : « C'est amusant de se balancer et cela t'aide à grandir et à devenir fort. »

À ÉVITER

Ne parquez pas votre enfant devant le téléviseur

Si vous demandez à votre enfant d'aller regarder la télé pendant que vous préparez le repas, vous ne faites que l'encourager à devenir apathique. Pourquoi ne pas l'initier plutôt à l'art de la cuisine, en lui expliquant comment on cuit les aliments et en lui demandant d'accomplir des tâches à la mesure de ses capacités, comme de laver les pommes de terre ou la laitue.

Ne gratifiez pas votre enfant avec de la nourriture

Enseignez à votre enfant que la nourriture sert à fournir au corps les éléments nutritifs dont il a besoin pour être en santé et non pas à le gratififier pour une bonne action ou à le consoler. Ne récompensez pas votre enfant en lui donnant des gâteries, car il aura tôt fait d'associer la nourriture avec approbation et amour.

Ne permettez pas à votre enfant de manger devant la télé

L'habitude de manger devant la télé favorise l'embonpoint et peut avoir des conséquences désastreuses pour la santé. De plus, incapable de se concentrer vraiment sur l'une ou l'autre activité, votre enfant ne profite véritablement ni de l'une ni de l'autre.

Un problème de poids

Fanny adorait par-dessus tout regarder la télé et jouer à des jeux vidéo. Ces deux activités la tenaient occupée pendant plusieurs heures quotidiennement, ce qui laissait à Roxane, sa mère, du temps libre, mais qui n'était pas sans l'inquiéter. Bien sûr, elle appréciait pouvoir préparer le repas du soir sans que Fanny ne la «dérange». En effet, la petite s'installait devant le petit écran dès son retour de la maternelle. Par contre, elle n'était pas sans remarquer que cette habitude commençait à être préjudiciable pour sa santé.

Non seulement cette enfant d'à peine quatre ans passait des heures à regarder la télé, mais plus souvent qu'autrement elle prenait ses repas en regardant une de ses émissions favorites. De plus, elle demandait à sa mère de lui acheter tous les aliments vides qu'on y annonçait. Cette dernière, ne voulant pas la contrarier, lui en procurait, mais elle se sentait coupable, surtout après que son pédiatre lui eut mentionné que sa petite avait pris énormément de poids depuis sa dernière visite.

Malheureusement, Fanny n'était pas le seul membre de la famille à aimer la télé et les cochonneries. Antoine, son père, ne donnait pas sa place. Il passait ses soirées vissé sur sa chaise à regarder la chaîne des sports et ne se levait que pour aller chercher des croustilles et des boissons gazeuses, et pour se rendre à son lit. Le problème de poids que sa fille éprouvait ne lui était pas étranger, loin de là, car son tour de taille ne cessait d'augmenter…

Un soir, au souper, Roxane dit: «Fanny, ma chérie, ton père et moi avons décidé de passer moins de temps devant la télé, aussi, nous avons établi trois nouvelles règles. Premièrement, nous ne regarderons la télé qu'une heure par jour. Deuxièmement, tu ne pourras jouer à l'ordinateur qu'une heure par jour et, troisièmement, nous mangerons seulement dans la cuisine ou la salle à manger et nous éteindrons la télé pendant ce temps.»

«Mais, j'aime ça, moi, regarder la télé, se lamenta Fanny! Qu'est-ce que je vais bien pouvoir faire si je ne peux ni regarder la télé ni jouer à des jeux vidéo?»

«J'ai une idée, dit son père. Nous allons créer nos propres émissions de télé. On va se déguiser, imaginer des histoires et devenir des acteurs. D'accord?»

«Bravo!» s'écria Fanny au comble de l'excitation. Ce soir-là, ils ont fouillé partout à la recherche de costumes et ils ont monté un décor dans le sous-sol. Ils ont dépensé tant d'énergie à ce jeu que Fanny est allée au lit sans demander son reste. Depuis ce temps, la petite invite souvent ses amis à jouer aux «émissions de télé».

Roxane constata avec satisfaction que sa petite fille perdait du poids et, qu'en plus, elle devenait plus créative chaque jour. De plus, Fanny demandait de plus en plus souvent à sa mère de lui raconter une histoire avant de s'endormir, plutôt que de réclamer une émission de télé. Ce nouveau régime réussissait également à merveille à Antoine, qui voyait son tour de taille diminuer peu à peu, grâce surtout à une émission de danse aérobique que la famille avait choisi de regarder.

Roxane remarqua à quel point les changements apportés au régime de vie de la famille bénéficiaient à chacun. Elle avait certes perdu un peu de «temps libre», mais les rires, l'affection et la meilleure qualité de vie gagnés en retour valaient bien ce sacrifice.

L'ENFANT CRAMPON

L'image d'un enfant cramponné aux jupes de sa mère — comme si c'était une question de survie — pendant qu'elle essaie de cuisiner ou de sortir n'est pas qu'un fantasme pour de nombreux parents d'enfants d'âge préscolaire, mais bien un aspect épuisant sur le plan émotif et on ne peut plus réel de la vie quotidienne. Bien que ce ne soit pas facile, ne cédez pas à la tentation de laisser l'enfant s'accrocher à vos basques pendant que vous vaquez à vos occupations quotidiennes. Si vous voulez ou devez laisser votre enfant aux mains d'une gardienne, rassurez-le en lui disant que vous êtes fier de lui parce qu'il se fait garder et que vous reviendrez bientôt ; réjouissez-vous d'un ton sincère qu'il ait la chance de jouer avec sa gardienne. Votre attitude positive sera contagieuse (comme le serait une attitude négative) et elle montrera à votre enfant à se sentir bien et à s'amuser, même loin de vous. En noyant votre enfant dans les cajoleries et les baisers à des moments neutres, vous l'empêcherez de se sentir délaissé et de se cramponner à vous pour avoir votre attention. S'accrocher n'est pas comme étreindre : c'est une demande immédiate et urgente d'attention.

Les mesures préventives

Exercez-vous très tôt à quitter votre enfant

Afin que votre enfant s'habitue à l'idée que vous ne serez peut-être pas toujours là, quittez-le occasionnellement pendant de courtes périodes (quelques heures) alors qu'il est encore tout petit. Les pauses seront bénéfiques tant pour votre enfant que pour vous.

Décrivez à votre enfant vos activités respectives pendant votre absence

En lui racontant ce que vous comptez faire pendant votre absence, vous donnez à votre enfant un excellent exemple de la façon dont il peut vous répondre quand vous l'interrogez sur ses activités de la journée. Décrivez-lui son emploi du temps et le vôtre, de sorte qu'il ne s'inquiète pas de votre sort ni du sien : «Laura préparera ton dîner et te lira une histoire, puis tu iras au lit. Papa et moi dînons à l'extérieur et nous serons de retour dans la soirée» ou «Je dois préparer le dîner maintenant. Quand j'aurai terminé et que tu auras joué avec tes blocs, nous lirons une histoire ensemble».

Jouez à cache-cache

Ce jeu habituera votre enfant à l'idée que les choses (et vous) peuvent disparaître et (le plus important) réapparaître. Les enfants de un à cinq ans jouent à cache-cache de diverses façons : en se cachant derrière leurs mains, en regardant d'autres personnes se cacher derrière leurs doigts et, pour les deux à cinq ans surtout, en jouant au vrai jeu de cache-cache, plus physique.

Donnez à votre enfant l'assurance que vous reviendrez

N'oubliez pas de lui dire que vous reviendrez et prouvez-lui que vous tenez parole en revenant à l'heure dite.

Ne sortez certains jeux qu'en présence de la gardienne

La perspective de jouer à certains jeux seulement avec sa gardienne d'enfants prédisposera votre enfant à accepter sa présence et même à espérer sa venue. À cet effet, choisissez une vidéo qu'il chérit particulièrement, permettez-lui de faire de la peinture avec les doigts, sortez des jeux, des livres d'histoires auxquels il n'a droit que lorsqu'il se fait garder.

Préparez votre enfant à la séparation

Laissez savoir à votre enfant que vous sortez et que vous le savez capable de tolérer votre absence : « Je sais que tu es un grand garçon et que tout ira bien pendant mon absence. » Si vous partez sans le prévenir, il se demandera toujours à quel moment vous disparaîtrez de nouveau soudainement.

Les solutions

À FAIRE

Acceptez que votre enfant crie quand vous le quittez contre son gré

Rappelez-vous que le bruit ne cessera que quand votre enfant apprendra une leçon précieuse, en l'occurrence qu'il peut survivre sans vous pendant une courte période. Dites-vous : « Je sais que ses pleurs m'indiquent qu'il m'aime. Il doit apprendre que même si je ne joue pas avec lui et que je m'absente, je reviendrai toujours et que je jouerai très bientôt avec lui. »

Complimentez votre enfant après une séparation

Faites en sorte que votre enfant soit fier de sa capacité de s'amuser seul. Exemple : « Je suis très fier que tu te sois amusée seule pendant que je récurais la cuisinière. Tu es vraiment une grande fille. » Vous trouverez tous deux plus d'avantages à votre séparation.

Utilisez la chaise des jérémiades

Dites à votre enfant qu'il a le droit de ne pas aimer que vous soyez occupé ou que vous le quittiez, mais que ses pleurs vous dérangent : « Je regrette que cela te déplaise que je prépare le dîner maintenant. Va sur la chaise des jérémiades jusqu'à ce que tu puisses jouer sans pleurer.» (*Voir «Les jérémiades», page 232.*) Laissez un enfant en larmes pleurer… loin de vous.

Reconnaissez que votre enfant a besoin de passer du temps avec vous et sans vous

Les séparations sont nécessaires tant pour les enfants que pour les parents. Par conséquent, persévérez dans votre routine quotidienne même si votre enfant proteste parce que vous faites autre chose que jouer avec lui ou que vous le laissez à l'occasion avec une gardienne.

Habituez-le progressivement aux séparations

Si votre enfant prend trop de votre temps, à partir de l'âge d'un an, jouez à la course contre la montre. Accordez-lui cinq minutes de votre temps et laissez-le s'amuser seul cinq minutes. Prolongez les moments où il joue seul de cinq minutes à la fois, jusqu'à ce qu'il soit capable de jouer tant seul pendant une heure.

À ÉVITER

Ne soyez pas contrarié si votre enfant se cramponne à vous

Supposez qu'il est plus à l'aise avec vous et préfère votre compagnie à celle du vaste monde.

Ne punissez pas votre enfant parce qu'il s'accroche à vous

Montrez-lui comment supporter une séparation en utilisant le minuteur.

Ne lui donnez pas de messages ambigus

Évitez de dire à votre enfant d'aller jouer ailleurs tout en le tenant, en lui tapotant le dos et en le caressant. Il ne saura plus s'il doit rester ou partir.

Ne brisez pas la routine à cause d'un petit dérangement

Assurez-vous de ne pas rendre la maladie plus attrayante que la santé en laissant votre enfant malade faire des choses que vous trouveriez inacceptables en temps normal. Il ne faut pas accorder trop d'importance à la maladie et n'apporter que quelques changements à la routine quotidienne.

«NE ME QUITTE PAS!»

Gisèle et Richard Garon aimaient tellement les réceptions que quand leur fils de quatre ans, Paul, se cramponnait à leurs manteaux avec un air horrifié, ils ne tenaient aucun compte de ses sentiments.

Ses parents lui disaient: «Allons, mon chéri, ne fais pas le bébé! Nous t'aimons. Il faudrait que tu t'habitues à nous voir partir, puisque nous sortons tous les dimanches.» Puis ils lui souhaitaient une bonne nuit, l'embrassaient et sortaient.

Mais Paul n'était pas rassuré du tout et il hurlait à pleins poumons la réplique qu'il connaissait pas cœur: «Ne partez pas! Ne me quittez pas! Emmenez-moi!»

Les Garon ne comprenaient pas ce qu'ils faisaient de mal pour que leur fils les «punisse» ainsi chaque fois qu'ils voulaient sortir. Les haïssait-il à ce point, se demandaient-ils, pour les embarrasser ainsi devant la gardienne et gâcher leurs beaux vêtements avec ses petits doigts collants?

Lorsqu'ils allèrent prendre leurs amis, à qui ils exprimèrent leur frustration, ceux-ci tentèrent de les rassurer en disant que si Paul s'accrochait à la sécurité qu'ils représentaient, c'était parce qu'il les aimait et non le contraire. Ils racontèrent ensuite comment ils avaient aidé leur propre fille à s'habituer à leurs absences.

Les Garon essayèrent la stratégie des Cartier dès le dimanche suivant. Avant de partir, ils préparèrent Paul à la séparation prochaine en disant : «Nous savons que tu es un grand garçon et que tu seras très bien pendant que nous serons au cinéma. À notre retour, tu seras déjà couché, mais nous serons dans notre lit demain à ton réveil. Laura te fera du maïs soufflé dans le nouvel appareil, elle te lira une histoire, puis tu iras te coucher. Amuse-toi bien !» Ils ne furent pas obligés de se traîner dehors après de larmoyantes étreintes, mais quittèrent un petit Paul qui ne gémissait que faiblement.

Forts de ce succès, les Garon se répandaient en éloges avant chaque sortie sur le calme de leur fils tout en lui expliquant où ils allaient, ce qu'ils allaient faire et combien de temps durerait leur absence.

Si le rapport de la gardienne était positif, le lendemain matin, ils disaient à Paul combien ils étaient fiers de voir qu'il avait été si sage pendant leur absence : «Merci d'avoir été si calme et d'avoir aidé Laura à confectionner des friandises hier soir», disaient-ils en l'enlaçant.

Les Garon furent patients, sachant que cela prendrait peut-être plusieurs semaines avant qu'ils puissent quitter la maison au son des rires plutôt que du piétinement et des pleurnichements. Entre-temps, ils se gardèrent bien de réprimander Paul pour ses comportements puérils, et, en ne prêtant pas attention à ses pleurs, ils leur ôtèrent toute utilité.

LES RETARDS

Comme le temps n'a aucune signification pour l'enfant de moins de six ans, celui-ci ne voit aucun avantage à se presser. Au lieu de pousser votre enfant à coup de «allons», «je t'en prie, dépêche-toi», faites une course avec lui ou donnez-lui l'occasion de courir se jeter dans vos bras, par exemple. Donnez des instructions amusantes et non des ordres frustrants. Donnez à votre enfant l'impression qu'il contrôle sa lenteur ou sa rapidité de sorte qu'il n'éprouvera pas le besoin de lambiner simplement pour exercer son influence sur le rythme des choses.

Les mesures préventives

Soyez ponctuel
Votre enfant comprendra mieux l'importance d'être prêt à temps et apprendra à se mettre dans la peau des autres si vous-même êtes rigoureusement ponctuel. Le fait d'encourager votre enfant à arriver à l'heure afin que son professeur de prématernelle ne soit pas obligé de l'attendre lui apprend la ponctualité et l'aide à prendre conscience que le fait d'être en retard nuit à son entourage.

Prévoyez un délai d'exécution
Si vous êtes pressé, le fait d'attendre votre petite tortue vous amènera au bord de l'exaspération et vous retardera. Prévoyez suffisamment de

temps pour vous préparer à partir, tout en sachant que lambiner est une réaction typique chez quelqu'un qui ne comprend pas ce que se presser veut dire et qui explore le monde à temps plein.

Suivez un horaire fixe

Comme un enfant a besoin de routine et de constance dans sa journée et qu'il est plus enclin à lambiner quand sa routine est modifiée, établissez un horaire régulier et des limites de temps pour les repas, les passages de la voiture à la maison, etc., afin d'établir un rythme de vie.

Les solutions

À FAIRE

Faites en sorte que votre enfant puisse suivre facilement votre rythme

Jouez à des jeux simples pour camoufler votre précipitation, comme de demander à votre enfant de deviner ce que grand-mère a dans sa maison; vous l'inciterez ainsi à se hâter. Demandez à votre enfant de «courir se jeter dans vos bras» quand vous voulez qu'il arrive plus vite à la voiture, par exemple.

Jouez à la course contre la montre

Les enfants sont toujours plus rapides quand ils tentent de battre de vitesse le minuteur (une autorité neutre) plutôt que de se concentrer sur la tâche qu'on leur a assignée. Dites, par exemple: «Voyons si tu peux t'habiller avant la sonnerie.»

Encouragez votre enfant à se hâter

Pour éperonner votre enfant, encouragez-le en cours de route. Dites-lui : «Je te félicite de t'habiller si rapidement» au lieu de dire simplement : «Merci de t'être habillé» une fois que c'est fait.

Guidez-le manuellement

Vous devrez parfois guider votre enfant pas à pas à travers la tâche à accomplir (s'habiller ou monter dans la voiture) pour lui montrer que la terre continue de tourner même s'il doit délaisser son activité du moment.

Appliquez la règle de grand-mère

Si votre enfant ne cesse de lambiner alors que vous devez soutenir une certaine allure afin de vous rendre quelque part ou d'accomplir une tâche, par exemple, appliquez la règle de grand-mère en associant une allure plus rapide avec la satisfaction ultérieure d'un de ses désirs : «Quand tu auras fini de t'habiller, tu pourras jouer avec ton train ou avec tes cubes. »

À ÉVITER

Ne vous emportez pas

Si vous êtes pressé et que votre enfant ne l'est pas, évitez de vous ralentir davantage en lui accordant de l'attention parce qu'il lambine (en le harcelant ou en lui criant de se dépêcher, par exemple). Votre rogne ne fera qu'inciter votre enfant à prendre son temps.

Ne harcelez pas

Si vous harcelez votre enfant, vous ne faites que lui accorder de l'attention à un moment où il flâne plutôt qu'à un moment où il se hâte. Utilisez plutôt le jeu pour l'amener à accélérer la cadence.

Ne lambinez pas

Si vous aidez votre enfant à se préparer pour le faire attendre ensuite, vous lui montrez que le temps n'est pas important. Par exemple, ne lui dites pas que vous êtes prêt à aller chez grand-mère si vous ne l'êtes pas.

FANFAN LA FLÂNEUSE

La petite Fanfan, trois ans, se perdait dans la contemplation des brins d'herbe de la pelouse ou jouait avec ses lacets au lieu de faire ce qu'on lui demandait. Sa grand-mère, qui la gardait tous les jours, détestait se mettre en colère et d'avoir à traîner ou presque sa petite-fille jusqu'à la porte du jardin d'enfant. «Dépêche-toi! Cesse de flâner!» commandait-elle, mais Fanfan était imperméable à tout encouragement à accélérer le rythme.

En fin de compte, la grand-mère dit à sa fille qu'elle ne voulait plus s'occuper de Fanfan, sa petite-fille préférée, parce qu'elle se sentait trop impuissante et trop furieuse. Madame Portal conseilla alors à sa mère de féliciter Fanfan chaque fois qu'elle se hâtait le moindrement; de la sorte, elle lui donnerait de l'attention quand elle ne lambinait pas sans s'occuper d'elle quand elle perdait du temps, technique qu'elle employait elle-même.

La grand-mère écouta aussi la suggestion de sa fille de récompenser Fanfan quand elle se pressait, geste qui lui semblait tout naturel puisqu'elle apportait toujours des présents à sa petite-fille.

«Je suis contente de voir que tu arriveras à la porte avant moi aujourd'hui», dit la grand-mère, un jour que Fanfan marchait plus vite qu'à l'habitude vers le jardin d'enfant.

Comme Fanfan reprenait son allure habituelle à mesure qu'elle approchait de sa destination, sa grand-mère décida d'encourager sa rapidité au lieu de se plaindre de sa lenteur.

«Si tu files jusqu'à la porte de l'école avant que j'aie fini de compter jusqu'à cinq, je te donnerai le peigne que tu as vu dans mon sac», dit-elle à Fanfan qui partit à la hâte comme si elle n'avait jamais lambiné de sa vie.

La grand-mère tint promesse, donna son peigne à sa petite-fille et constata que les récompenses la rendaient obéissante.

Fanfan dut encore apprendre à s'habiller en suivant le rythme de sa grand-mère et non le sien, mais désormais celle-ci prenait de nouveau plaisir à sa compagnie et avait l'impression d'avoir réussi à établir un rythme satisfaisant à leurs journées.

LA SOIF DE LIBERTÉ

Tout absorbés par leurs efforts pour se tailler une place dans le monde, les bambins ont parfois besoin qu'on les retienne, car ils ne sont pas aussi autonomes et maîtres d'eux qu'ils le croient. À mesure que votre petit grandira, les cordons de votre tablier s'étireront. Laissez-le faire tant que sa sécurité n'est pas en cause. Apprenez à connaître ses limites en mettant à l'épreuve sa maturité et son sens des responsabilités. Attribuez-lui des libertés proportionnées à ses capacités. Donnez-lui régulièrement l'occasion de montrer qu'il est assez mûr pour tirer profit de la liberté que vous lui accordez.

Les mesures préventives

Fixez des limites à votre enfant

Votre enfant a besoin de connaître ses limites : ce qu'il peut et ne peut pas faire, quand il a le droit de sortir, etc., avant que vous ne vous attendiez à ce qu'il vous obéisse. Faites connaître, même à votre bambin d'un an, son territoire «licite» afin d'éviter autant d'actes «illicites» que possible.

Indiquez à votre enfant les cas où il peut franchir ses limites

Réduisez l'attrait qui nimbe certaines actions du simple fait qu'elles sont interdites en indiquant à votre jeune aventurier dans quels cas il peut suivre son bon plaisir sans s'attirer d'ennuis. Exemple: «Tu peux traverser la rue seulement si tu me tiens la main.»

Accordez à votre enfant autant de liberté que possible

Si votre enfant se montre responsable à l'intérieur de ses limites, re-poussez un peu celles-ci. Expliquez-lui pourquoi elles changent; ainsi il sera fier de sa capacité d'obéir aux règles et d'être assez responsable pour mériter sa liberté: «Comme tu me préviens chaque fois que tu vas chez ton ami d'à côté, tu peux aller un peu plus loin dans la rue maintenant; bien sûr, tu dois toujours me demander la permission avant de sortir.»

Les solutions

À FAIRE

Offrez-lui des récompenses s'il respecte ses limites

Récompensez votre enfant quand il respecte ses limites en lui accor-dant beaucoup d'attention: «Je te félicite d'être resté dans les balan-çoires et de ne pas être allé dans la cour du voisin. Tu peux te balancer encore trois minutes!»

Restreignez sa liberté

Montrez à votre enfant que la transgression des limites coupe court à son plaisir: «Je regrette que tu sois sorti de la cour; tu resteras dans la maison cet après-midi» ou «Je regrette que tu aies traversé la rue; désormais, tu devras jouer derrière de la maison».

Soyez aussi conséquent que possible

Ne laissez pas votre enfant enfreindre une règle sans réagir en consé-quence afin de lui montrer que vous ne plaisantez pas. En outre, votre enfant se sentira aussi plus tranquille quand il agira seul parce qu'il saura ce que vous attendez de lui.

À ÉVITER

Ne corrigez pas votre enfant s'il s'aventure dans la rue

Les raclées encouragent les enfants à commettre leurs méfaits en cachette. Ceux qui se glissent dans la rue à l'insu de leurs parents courent un grand danger. Aussi, n'aggravez pas le problème en poussant votre enfant à agir subrepticement.

LAURE LA POPULAIRE

La petite Laure, cinq ans, est la fillette la plus populaire de la rue, qualité qui occasionne bien des problèmes à la famille Toupin, qui compte sept enfants.

«Je marcherai jusqu'à l'école avec Suzie, j'irai chez Diane après le déjeuner, et je jouerai à la poupée avec Marie aujourd'hui», annonce Laure à sa mère, un matin, au petit-déjeuner.

Comme sa mère déclarait qu'elle n'irait nulle part ce jour-là et les jours suivants, Laure la supplia: «Pourquoi pas? J'irai de toute façon, tu ne peux pas m'en empêcher!»

Ces déclarations de révolte entraînaient habituellement un échange tumultueux d'injures entre Laure et ses parents. C'est ce qui se produisit le jour où la fillette s'élança soudainement dans la rue pour se rendre chez son amie, bien que cela lui eût été interdit.

«Ce n'est pas juste!» cria Laure alors que ses parents frustrés l'expédièrent dans sa chambre. Ceux-ci ignoraient quelle longueur de corde laisser à leur «bébé» et quelles limites lui imposer pour la protéger des dangers qu'elle était trop jeune pour éviter. Comme elle recevait constamment des invitations, ses parents ne pouvaient passer outre le problème qui consistait à décider où elle pouvait aller et à quel moment.

Pour le résoudre, ses parents décidèrent de trouver un compromis et d'établir des règles qu'ils pourraient modifier si leur fille se montrait suffisamment responsable. Ils commencèrent par expliquer les nouvelles règles à Laure qui se réjouissait à l'idée qu'elle pourrait gagner plus de liberté en obéissant à ses parents.

«Je veux que tu apprennes à traverser la rue», lui dit sa mère quand Laure demanda si elle pouvait aller chez son amie qui habitait dans la maison jaune en face de chez elle.

Laure et sa mère allèrent jusqu'au trottoir où cette dernière lui enseigna la conduite à tenir: comment s'arrêter sur le trottoir, regarder à gauche, puis à droite, et pas seulement regarder, mais voir aussi. Puis elle lui demanda de décrire ce qu'elle voyait de chaque côté. S'étant assurée que la voie était libre, elle lui apprit à traverser la rue seulement quand elle lui tenait la main. Puis, elles traversèrent la rue ensemble, en regardant à gauche et à droite et en décrivant ce qu'elles voyaient. Elles recommencèrent une dizaine de fois, madame Toupin complimentant sa fille quand elle suivait ses instructions à la lettre. Puis, elle lui dit: «Maintenant, traverse la rue toute seule pendant que je te regarde.»

Quand Laure eut montré qu'elle pouvait suivre les règles, Mme Toupin en édicta une nouvelle: «Tu peux traverser la rue pour aller chez ton amie, mais tu dois d'abord me prévenir, et je viendrai te regarder.»

Que de travail il fallut pour arriver à ce compromis, songea madame Toupin, mais elle comprit qu'elle ne pouvait relâcher les cordons de son tablier qu'en sachant que sa fille pouvait assumer les responsabilités inhérentes à la liberté. Le fait d'établir les conditions de cette liberté et de s'y exercer fit que chacune se sentit satisfaite et tranquille face aux limites et aux attentes.

LE BESOIN D'AUTONOMIE

« J'veux le faire tout seul» est une phrase que les parents d'enfants d'âge préscolaire peuvent s'attendre à entendre aussitôt que leur enfant aura passé le cap des deux ans. Cette déclaration d'indépendance offre aux parents une occasion en or de laisser leurs jeunes expérimentateurs s'exercer, tant qu'ils n'enfreignent pas les règles pendant la période d'essais et erreurs. Comme le but ultime de l'éducation parentale consiste à inculquer aux enfants la confiance en soi et l'autonomie, armez-vous de patience pour supporter leurs erreurs. Recherchez l'équilibre entre les exigences du quotidien et l'importance de l'acquisition de l'autonomie pour votre enfant.

Les mesures préventives

Ne supposez pas d'emblée que votre enfant est un impotent
Suivez de près l'évolution des aptitudes de votre enfant. Donnez-lui la chance d'essayer quelque chose avant de le faire à sa place afin de ne pas sous-estimer ses capacités.

Procurez-lui des vêtements faciles à enfiler et à enlever
Achetez à votre enfant des vêtements qu'il pourra baisser et remonter sans difficulté pour l'apprentissage de la propreté, par exemple. Achetez-lui

des chemises qu'il pourra enfiler facilement seul et qui ne resteront pas coincées aux épaules.

Rangez ses vêtements en ensembles coordonnés
Aidez votre enfant à développer sa coordination visuelle en regroupant ses vêtements de sorte qu'il puisse les prendre plus facilement (et vous aussi).

Prévoyez les frustrations
Facilitez-lui la tâche autant que possible. Détachez les boutons-pression de son pantalon ou baissez légèrement la fermeture éclair de son manteau avant de le laisser finir le travail.

Les solutions

À FAIRE

Jouez à la course contre la montre
Indiquez à votre enfant le temps dont vous disposez pour faire une activité afin d'éviter qu'il n'attribue à son incapacité le fait que vous preniez les choses en main. Réglez un minuteur au nombre de minutes que vous voulez accorder à la tâche et dites, par exemple : « Voyons si tu peux t'habiller avant la sonnerie. » Vous inculquez ainsi à votre enfant le sens de la ponctualité et réduisez la lutte de pouvoir entre lui et vous, car ce n'est pas vous qui commandez, mais le minuteur. Si vous n'avez pas beaucoup de temps et devez terminer une tâche que votre enfant a commencée, expliquez-lui que vous êtes pressé pour ne pas qu'il pense que sa lenteur est en cause.

Proposez la collaboration et le partage
Votre enfant n'est pas conscient de la raison qui l'empêche d'exécuter une tâche ou du fait qu'il en sera bientôt capable aussi, proposez-lui

de partager le travail quand il s'habille ou mange, par exemple, en exécutant la partie qu'il est incapable de d'effectuer (comme d'attacher ses chaussures, s'il a un an). Dites : «Pourquoi ne tiendrais-tu pas ta chaussette pendant que je mets ta chaussure» afin d'occuper votre enfant pour qu'il ne se contente pas de vous observer en se sentant inutile.

Louez ses efforts

Comme vous êtes son professeur préféré, vous pouvez encourager votre enfant à s'initier à certaines tâches. Comme vous savez que c'est en forgeant qu'on devient forgeron, enseignez-le-lui en disant, par exemple : «Je te félicite d'avoir essayé de tresser tes cheveux. C'est très bien. Nous recommencerons plus tard.» Soulignez ses efforts malgré de piètres résultats. Louez votre enfant quand il essaie de mettre ses chaussures tout seul, même s'il n'y réussit pas très bien.

Demeurez aussi calme que possible

Si votre enfant ne veut pas que vous leviez le petit doigt pendant qu'il fait tout par lui-même («Je vais mettre mon short», «Je vais aller ouvrir», «C'est moi qui ferme le tiroir»), rappelez-vous qu'il commence à affirmer son indépendance, non son entêtement. Comme vous voulez qu'il arrive à se débrouiller seul, laissez-le essayer. Même si vous n'aimez pas attendre ou ne supportez pas le tiroir mal fermé ou les serviettes de table mal placées, ne vous fâchez pas. Les choses peuvent ne pas être faites aussi rapidement ni aussi parfaitement que vous le voudriez. Réjouissez-vous de voir votre enfant faire ses premiers pas vers l'autonomie et soyez fier de ses initiatives.

Accordez-lui autant d'autonomie que possible

Laissez autant que possible votre enfant se débrouiller seul afin que la frustration ne vienne pas se substituer à sa curiosité innée. Laissez-le tenir une chaussure pendant que vous attachez l'autre et demandez-lui de vous la passer au lieu d'insister pour la garder à l'écart de ses petits doigts remuants.

Demandez, mais n'exigez pas

Pour habituer votre enfant à demander gentiment ce qu'il veut, montrez-lui comment faire : «Si tu me le demandes gentiment, je te laisserai faire ceci ou cela.» Puis, expliquez-lui ce que vous entendez par «gentiment». Par exemple, montrez-lui à dire : «Puis-je prendre une fourchette, s'il vous plaît ?» quand il veut une fourchette.

À ÉVITER

Ne le punissez enfant pour ses erreurs

S'il veut verser lui-même son lait et qu'il en renverse, souvenez-vous de l'aider la fois suivante. N'oubliez pas que c'est en forgeant qu'on devient forgeron, et ne vous attendez pas à ce qu'il réussisse du premier coup.

Ne dénigrez pas ses efforts

Si l'erreur vous paraît bénigne, ne la relevez pas. Même s'il a enfilé sa chaussette à l'envers, dites simplement : «Mettons le côté doux de la chaussette à l'intérieur tout contre ta peau, d'accord ?» et n'insistez pas.

Ne vous sentez pas rejeté

Votre enfant veut ouvrir la porte lui-même, mais vous savez fort bien que vous pouvez le faire plus rapidement que lui et avec moins d'efforts. Ne dites rien, et laissez-le manifester son indépendance et sentir que vous appréciez sa façon de faire les choses. Ne soyez pas blessé parce que votre enfant n'apprécie pas votre aide ; sachez qu'il grandit et que c'est dans l'ordre des choses qu'il agisse ainsi.

IRÈNE L'INDÉPENDANTE

Durant les trois premières années de la vie d'Irène, sa mère était à ses pieds. Maintenant «Miss Indépendance», comme sa mère l'appelle, ne veut plus que personne fasse quoi que ce soit pour elle. Madame Boisvert trouve ce changement frustrant et déconcertant.

«J'en ai marre de t'attendre, Irène!» lui dit-elle un jour qu'elles étaient en retard à la maternelle et qu'Irène refusait son aide pour enfiler son manteau. «Tu n'es pas capable», ajouta-t-elle dans l'espoir de convaincre sa fille de ne pas se charger de tâches au-dessus de son âge.

Le flux des demandes et des refus se modifia au moment précis où madame Boisvert sentit qu'elle commençait à prendre Irène en grippe et à abhorrer son désir de se débrouiller seule. Comme sa fille s'habillait pour sortir un matin, madame Boisvert remarqua qu'elle avait, pour la première fois, très bien mis son manteau. «Je te félicite d'avoir si bien mis ton manteau», lui dit-elle en commençant à remonter la fermeture éclair. «Tu te hâtes de te préparer pour l'école! Je suis très fière de toi», ajouta-t-elle. Elles sortirent après qu'Irène eut laissé sa mère terminer le travail sans lui chercher noise pour la première fois depuis des semaines.

En route, madame Boisvert songea au fait que, aux dires de l'éducatrice, sa fille devenait très indépendante à la maternelle. En effet, elle voulait répondre aux questions et être l'«assistante» sans qu'on le lui demande.

Madame Boisvert décida de se montrer tolérante envers les velléités d'indépendance de sa fille — qualité qu'elle avait tant espéré voir éclore chez elle il y a un an — en les tempérant au moyen d'un minuteur qui l'aiderait à exécuter ses préparatifs du coucher et à partager ses jouets.

Le lendemain, Irène voulut, comme à l'habitude, mettre la table toute seule. Au lieu de l'aider, sa mère annonça la nouvelle règle : « Irène, tu peux essayer de mettre la table seule jusqu'à la sonnerie. Quand tu entendras la sonnerie, je t'aiderai. Voyons si tu peux mettre la table avant que le minuteur ne sonne. »

Irène n'aimait pas l'idée que sa mère l'aide, mais elle adora l'idée de battre de vitesse le minuteur. Elle fut d'autant plus fière d'elle-même ce soir-là qu'elle termina son travail avant la sonnerie.

Sa mère était fière d'elle : « Je te félicite d'avoir mis la table toute seule », déclara-t-elle tout en replaçant discrètement les cuillers à côté des bols (sans en souffler mot à sa fille).

La mère d'Irène continua de féliciter les efforts de sa fille chaque fois que c'était approprié. Elle faisait son possible pour lui faciliter la tâche et, au besoin, elles terminaient le travail ensemble.

L'ENFANT DESTRUCTEUR

Les enfants en bas âge ignorent la limite entre les jeux destructeurs et les jeux créatifs, tant que les parents ne l'établissent pas clairement. Par conséquent, avant que votre enfant n'ait un an, fixez-lui des limites en lui indiquant (et lui montrant) ce qu'il peut et ne peut pas peindre, déchirer et mettre en morceaux, par exemple, afin d'empêcher votre artiste en herbe d'endommager sans le vouloir vos biens et ceux d'autrui. Montrez-lui à être fier de ses biens et de ceux des autres et à en prendre soin tout en le laissant exprimer sa créativité aux endroits et moments propices : sur du papier à dessin et non sur le papier peint ou avec un téléphone-jouet démontable et non votre vrai téléphone.

Les mesures préventives

Offrez à votre enfant des jouets assez solides pour être démontés sans être détruits

Les enfants d'âge préscolaire ont naturellement tendance à démonter et à remonter les objets. Comblez votre enfant de jouets qui se prêtent à ce type d'activités (jeux de construction, jeux avec poussoirs, etc.) afin de l'orienter vers le type de jeux créatifs avec lesquels vous souhaitez le voir jouer.

Donnez-lui des objets dont vous ne vous servez plus

Fournissez-lui des tas de vieux vêtements et de papier avec lesquels il pourra fabriquer des objets en papier mâché, se déguiser, peindre et se livrer à d'autres activités afin qu'il n'emploie pas de matériaux neufs et coûteux pour mener à bien ses projets.

Édictez des règles précises concernant le soin des jouets

Comme les enfants ignorent la valeur des objets ou la manière de jouer avec certains d'entre eux, faites le point sur les journaux et les livres : «Ton album à colorier est le seul objet sur lequel tu peux utiliser tes crayons de couleur, rien d'autre» ou «Il ne faut pas déchirer les livres. Si tu veux déchirer quelque chose, dis-le moi, et je te donnerai ce qu'il faut» ou «Cette pomme de cire ne se démonte pas et ne se mange pas comme une vraie pomme. Si tu veux une vraie pomme, je t'en donnerai une.»

Surveillez les jeux de votre enfant

Jetez de temps à autre un coup d'œil sur votre enfant pendant qu'il joue, car vous ne pouvez attendre de lui qu'il soit aussi soigneux que vous.

Soyez conséquent face au jeu et à la destruction

Ne confondez pas votre enfant et ne l'incitez pas à mettre sans cesse les règles à l'épreuve en le laissant détruire un objet qu'il ne devrait pas détruire. Il ne saura plus à quoi s'attendre et ne comprendra pas que vous lui gâchiez son plaisir en le punissant pour une action autrefois permise.

Rappelez-lui qu'il doit prendre soin de ses jouets

Augmentez vos chances de réduire la destruction au minimum en félicitant votre enfant quand il prend soin de ses jouets. Cela lui rappellera la règle, renforcera son amour-propre et l'aidera à apprécier ses jouets.

Les solutions

À FAIRE

Demandez-lui de nettoyer ses dégâts

Si votre enfant a plus de deux ans, montrez-lui à prendre soin de ses affaires en l'obligeant à nettoyer ses dégâts avec vous. Si, par exemple, votre enfant a barbouillé le mur, il doit effacer non seulement ses marques, mais nettoyer tous les murs de la pièce. Cette emphase lui inculquera un sentiment de propriété et lui apprendra non seulement à prendre soin des choses mais également à nettoyer les murs !

Réprimandez-le

Si votre enfant a moins de deux ans, réprimandez-le brièvement (dites-lui ce qu'il a fait, pourquoi c'était mal et ce qu'il aurait dû faire) afin qu'il comprenne pourquoi il est privé de son plaisir.

Envoyez votre enfant au « temps mort »

Si, ayant été réprimandé une fois, votre enfant détruit de nouveau quelque chose, réitérez la réprimande et envoyez-le au « temps mort ». (*Voir l'Annexe 3, page 244.*)

À ÉVITER

Ne nourrissez pas d'attentes trop élevées

Si votre enfant casse quelque chose, ne vous mettez pas en colère, cela lui laisserait croire que vous vous souciez davantage de vos biens que de lui. Assurez-vous que votre déception face à l'objet détruit n'est pas disproportionnée avec l'incident.

Ne le punissez pas sévèrement

Si les activités de votre enfant ne présentaient aucun danger, montrez-lui comment prendre soin de ses affaires au lieu d'insister sur sa bévue.

THOMAS LA TERREUR

Les Pomerleau connaissaient le caractère «destructeur» de leur fils de trois ans bien avant que l'éducatrice de la maternelle ne les convie à un entretien à son sujet. Ils auraient pu lui décrire les œuvres au crayon bourgogne qui ornaient le papier peint fleuri de la salle à dîner ou la mosaïque qu'il avait fabriquée avec les pages de livres pris dans la bibliothèque.

«Quand cesseras-tu de tout détruire?» cria le père, en donnant une fessée à son fils avant de l'expédier dans sa chambre. La gardienne d'enfants venait de les informer que Thomas avait dessiné sur le plancher pendant que ses parents étaient à la maternelle. Ils durent le punir de nouveau une heure plus tard en découvrant que leur rejeton avait déchiré trois livres d'images pendant qu'il était dans sa chambre.

Ils décidèrent de faire subir à leur fils indiscipliné les conséquences de son comportement destructeur. Quand ils découvrirent Thomas en train de déchirer les pages d'un livre, ils se gardèrent bien de le menacer ou de le corriger. «Maintenant, tu devras réparer ce livre, Thomas», déclarèrent-ils. Ils prirent leur fils par la main, lui tendirent le ruban adhésif et l'aidèrent à couper les morceaux qu'il fallait pour recoller le livre.

Non seulement Thomas dut réparer ce livre-là, mais il passa les trois ou quatre jours suivants à laver les murs, à gratter les marques de crayon sur le sol et à recoller des cartes qui présentaient quelques déchirures ici et là, toutes des activités qu'il ne répéta jamais plus après avoir payé le prix de sa mauvaise conduite.

Chaque fois qu'il endommageait quelque chose, ses parents lui expliquaient ce qu'il pouvait et ne pouvait pas déchirer. Ayant passé plusieurs jours à apprendre qu'il était tout aussi responsable des biens familiaux que ses parents, Thomas se mit à mériter toute l'importance qu'on lui accordait. Il rayonnait de fierté quand ses parents le félicitaient pour la manière dont il prenait soin de ses livres, de ses disques et de ses animaux en peluche, et rougissait de honte quand il retombait dans ses vieilles habitudes destructrices.

Même si le comportement de Thomas devenait moins destructeur, ses parents ne s'attendaient pas à ce qu'il prenne le même soin de ses jouets qu'eux-mêmes de leurs choses, mais ils donnaient l'exemple à leur fils afin de lui montrer qu'ils mettaient leurs principes en pratique.

LE REFUS DE SE LAVER

Depuis les shampooings doux pour bébé jusqu'aux couches jetables, une kyrielle de produits rendent le bain, le changement de couche et le lavage des cheveux de bébé aussi acceptables que possible tant pour les tout-petits que pour leurs parents. Les fabricants de ces produits savent pertinemment que les enfants n'aiment pas se laver. Aussi ne pensez pas que vous êtes seul à vous buter sur l'opposition de votre enfant. Essayez de rendre la toilette moins fastidieuse en divertissant votre enfant (chantez-lui des chansons, racontez-lui des histoires) et en le félicitant chaque fois qu'il collabore avec vous (même s'il ne fait que vous passer le savon).

Votre enfant proteste-t-il parce que les produits utilisés lui brûlent les yeux ou parce qu'il n'aime pas se laver ? La plupart des parents savent faire la différence entre les cris de détresse de leur enfant et les pleurs motivés par la colère, la frustration ou le besoin d'attirer l'attention. Dans le premier cas, les hurlements ne s'arrêtent pas et ne diminuent pas en intensité malgré la présence des parents, et ce, même s'ils tentent de distraire l'enfant par toutes sortes de moyens. Dans le deuxième cas, les pleurs de l'enfant sont intermittents et, pendant les pauses, il guette une réaction de ses parents et des personnes qui prennent soin de lui. Le cas échéant, remplacez les produits irritants pour la peau par des produits recommandés par des professionnels.

Les mesures préventives

Faites des compromis
Essayez de faire des compromis avec votre enfant sur les questions comme l'endroit où vous changez sa couche (sur le canapé, debout) ou le moment où vous lui lavez les cheveux. Soyez flexible afin que votre enfant ne soit pas dérangé pendant qu'il joue, ne manque pas sa promenade favorite ou une émission de télévision que vous approuvez simplement parce que vous lui lavez les cheveux ou que vous voulez changer sa couche.

Faites participer votre enfant
Aidez votre enfant à participer à sa toilette ou au changement de couches. Demandez-lui de vous apporter les objets qu'il peut transporter, en fonction de son âge, de son niveau d'aptitude et de sa capacité à suivre des instructions. Quand il prend son bain, laissez-le choisir son jouet ou sa serviette favorite, par exemple, afin de lui donner le sentiment qu'il a son mot à dire.

Préparez votre enfant
Prévenez-le un peu à l'avance de l'heure du bain, par exemple, pour faciliter la transition entre le jeu et le bain : «Quand le minuteur sonnera, ce sera l'heure de prendre ton bain» ou «Dans quelques minutes, nous changerons ta couche» ou «Quand nous aurons fini ce livre, tu prendras ton bain».

Soyez prêt !
Si votre enfant est trop jeune pour vous assister dans cette tâche, assurez-vous d'avoir toutes vos munitions sous la main avant de vous armer du gant de la toilette. Vous pourrez ainsi amorcer le processus sans retard indu.

Cultivez une attitude positive

Votre enfant devinera votre appréhension si vous annoncez l'heure du bain comme une condamnation et se dira que c'est vraiment aussi horrible qu'il le croyait puisque cela vous inquiète aussi. Comme votre attitude est contagieuse, adoptez-en une que vous voulez le voir imiter.

Les solutions

À FAIRE

Demeurez calme et ne faites pas attention aux cris

Votre calme est contagieux. Si vous ne faites pas attention à ses cris, votre enfant apprendra que les décibels n'ont pas de pouvoir sur vous, ce dont il ne se doute pas en refusant de se laver ou d'être changé de couche. Dites-vous: «Je sais que mon enfant doit être changé. Moins je m'occuperai de ses cris, plus vite j'aurai terminé.»

Prenez plaisir à sa toilette

Parlez et jouez avec votre enfant pendant qu'il se débat en lui chantant des comptines pour distraire son attention: «Chantons *À la ferme de Mathurin*» ou «Je parie que tu n'arriveras pas à attraper ce bateau et à le faire chavirer». Contentez-vous d'un monologue si votre enfant est trop jeune pour participer verbalement à vos efforts.

Encouragez-le à vous aider et félicitez-le

Demandez-lui de laver son ventre, de se frotter avec le savon ou d'ouvrir la couche (si vous avez le temps) pour lui donner le sentiment de contrôler son hygiène personnelle. Même la plus infime collaboration mérite des éloges. Faites mousser les mots d'encouragement: plus votre enfant obtient de l'attention quand il se comporte comme vous le voulez, plus il continuera de bien se comporter pour attirer vos éloges: «Tu réussis très bien à mettre le shampooing dans tes cheveux» ou «C'est gentil à toi de rester assis dans la baignoire» ou «J'apprécie que tu restes étendu si gentiment pendant que je change ta couche».

Appliquez la règle de grand-mère

Dites à votre enfant qu'après avoir fait ce que vous lui avez demandé (pris son bain), il pourra faire ce qu'il veut: «Quand tu sortiras de ton bain, je te lirai une belle histoire» ou «Quand nous aurons terminé, tu pourras jouer».

Persévérez

Au milieu des coups de pied, des hurlements et des cris, rappelez-vous que vous avez l'intention d'aller jusqu'au bout et ne cédez pas. Quand votre enfant verra que ses cris ne vous empêchent pas de le «décrasser», il comprendra qu'il a intérêt à adopter la voie de la moindre résistance.

Dites à votre enfant qu'il est beau et sent bon

Invitez-le à se regarder dans un miroir afin de lui rappeler pourquoi il faut prendre un bain ou changer sa couche. En apprenant à être fier de lui-même, votre enfant d'âge préscolaire intégrera le désir d'être propre à ses priorités.

À ÉVITER

N'exigez pas sa collaboration

Ce n'est pas parce que vous voulez changer la couche de votre enfant, par exemple, qu'il restera étendu sans bouger pendant que vous vous exécutez. En outre, votre brutalité ne ferait que lui enseigner à être brutal, lui aussi.

Faites de l'heure du bain un moment privilégié

Fournissez à votre enfant une serviette pour s'essuyer les yeux, une eau à la bonne température ou un peignoir dans lequel il peut s'envelopper, par exemple, pour rendre sa toilette aussi agréable que possible.

Ne renoncez pas

Ne vous dégonflez pas simplement parce que votre enfant vous résiste. Votre persévérance viendra à bout de sa résistance.

UN OCÉAN DE PLAISIRS

Carole et Philippe Fortier baignaient leur fille de deux ans, Alice, et lui lavaient les cheveux comme la plupart des parents de leur connaissance le faisaient, du moins le croyaient-ils. Mais leur fille n'était sûrement pas normale, car elle hurlait et se débattait pendant tout le temps que durait sa toilette. Aucun des amis des Fortier ne s'était plaint de ce problème et eux-mêmes n'avaient jamais eu cette difficulté avec leur fille aînée, Hélène, âgée de quatre ans.

Sachant qu'ils ne pouvaient pas tout bonnement renoncer à laver leur fille, les parents élaborèrent des façons de rendre la toilette plus attrayante pour elle, le pédiatre les ayant rassurés quant à l'innocuité des savons, de l'eau et des serviettes qu'ils employaient. «N'y a-t-il *rien* qu'elle aime dans la toilette?» avait-il demandé.

Comme la seule activité aquatique qui plaisait à leur fille consistait à nager dans la mer chaque été pendant les vacances, les Fortier décidèrent de baptiser la baignoire «Un océan de plaisirs», bien que le père fût d'avis qu'une discipline plus sévère s'imposait.

Le lendemain soir, les Fortier mirent leur stratégie à l'épreuve. Ils commencèrent par régler le minuteur à l'heure où il serait temps d'aller à l'«océan». L'été, ils avaient coutume d'utiliser un minuteur pour indiquer le moment où ils se rendraient au vrai océan car Alice ne tenait pas en place. Ils espéraient que cette tactique donnerait de bons résultats à la maison aussi. «Quand le minuteur sonnera, ce sera l'heure de jouer au nouveau jeu», dit la mère, le premier soir. «Finissons cette histoire en attendant.»

Dès la sonnerie du minuteur, Alice et sa mère réunirent les serviettes et le savon tandis que la première posait des milliers de questions sur le nouveau jeu et l'endroit où se trouvait cet océan.

Alice sourit d'un air béat quand sa mère la conduisit à la salle de bain où elle trouva l'océan le plus bleu qu'elle ait jamais vu (grâce à une mousse pour le bain bleue) et de jolis petits bateaux naviguant autour d'un navire porte-savon, jouets que sa mère avait achetés pour renforcer l'expérience.

Alice sauta dans la baignoire sans qu'on le lui demande et se mit à aussitôt à jouer; sa mère lui chanta une chanson, et Alice reçut une noix de shampooing pour «se laver elle-même les cheveux» pour la première fois.

L'expérience se poursuivit sans cris ni hurlements et avec sans doute juste un peu trop d'éclaboussures. La mère et la fille prirent tant de plaisir à l'expérience que madame Fortier se mit à laver Alice dans l'«océan» au moins une fois par jour afin de lui donner la chance d'apprendre à réduire les éclaboussures, à se laver plus soigneusement et à apprécier cette expérience plutôt qu'à la redouter.

LE PETIT TOUCHE-À-TOUT

Comme ils démarrent tout juste dans la vie, c'est de la tête aux pieds que les petits d'un an ressentent la joie d'explorer. Si on ne leur impose pas de limites, ils touchent à tout et à tout le monde, qu'ils rampent ou marchent. Votre bambin ne sait pas automatiquement ce qui est défendu et ce qui est permis, bien qu'à partir de deux ans, il puisse établir cette distinction pour peu que vous lui indiquiez clairement ce qui est permis et ce qui ne l'est pas. Tout en restreignant les aventures de vos petits vagabonds, gardez en tête que vous voulez trouver un équilibre, pendant toutes les années préscolaires (et les suivantes), entre laisser votre enfant exprimer une curiosité normale et saine, et lui montrer les comportements acceptables et inacceptables à la maison et à l'extérieur.

Les mesures préventives

Éliminez tous les dangers de votre maison

En gardant les portes fermées, en limitant l'accès à certains endroits et en surveillant votre jeune itinérant, vous limitez le nombre de fois où vous avez à le contrarier dans une journée et, par surcroît, ces mesures protègent votre enfant de maints dangers. Les enfants de moins de trois ans ne comprennent pas pourquoi ils ne peuvent pas aller où ils veulent, surtout qu'ils s'efforcent d'établir leur indépendance et de laisser leur empreinte dans le monde. (*Voir l'Annexe I, page 235*).

Déterminez ce qu'il peut toucher

Décidez de ce qu'il peut toucher et montrez-lui que c'est différent du reste le plus tôt possible : «Tu peux jouer ici ou là, mais pas dans le bureau de papa.»

Mettez les objets délicats à l'abri

Un enfant de un, deux ou trois ans ne fait pas la différence entre un vase précieux et un vase peu coûteux. Ne prenez pas de risque et rangez hors de sa portée les objets qu'il ne doit pas toucher, jusqu'à ce que ses petites mains et sa petite tête cessent de vouloir s'emparer de tout malgré vos interdictions.

Expliquez le code d'accès aux zones interdites

Expliquez à votre enfant dans quelles conditions il peut pénétrer dans les zones interdites, car toute défense absolue d'entrer dans une pièce ou de traverser la rue, par exemple, exacerbera son désir de le faire : «Tu peux entrer dans le bureau de maman, mais seulement en compagnie de maman ou d'un autre adulte.»

Les solutions

À FAIRE

Faites des réprimandes

Réprimandez toujours votre enfant pour la même faute afin de lui montrer que vous ne plaisantez pas. Dites, par exemple : «Ne va plus dans cette pièce ! Je regrette de voir que tu y as joué ; tu sais que c'est une zone interdite. Tu dois demander à maman de t'accompagner si tu veux y aller.»

Envoyez votre enfant au «temps mort»

Si votre enfant grimpe à répétition sur la table de la cuisine (et que cela lui est interdit), réprimandez-le chaque fois qu'il désobéit et envoyez-le au «temps mort» afin de renforcer ce rappel. (*Voir l'Annexe 3, page 242.*)

Relevez les moments où votre enfant obéit aux règles

Dites à votre enfant que vous êtes fier de lui quand il se souvient de ne pas toucher à certains objets. Ces éloges récompenseront son comportement et stimuleront son désir de bien se conduire. Dites par exemple: «Que c'est gentil à toi de jouer à l'endroit où tu es censé le faire» ou «Merci de ne pas monter sur la table à café».

Montrez à votre enfant à toucher avec les yeux, mais non avec les mains

Dites à votre enfant qu'il peut regarder un bijou, un vase ou une peinture, par exemple, avec ses yeux, mais non avec ses mains. Cela lui laisse la liberté d'explorer l'objet convoité d'une manière limitée et contrôlée.

À ÉVITER

Ne laissez ni fusils ni couteaux à la portée des enfants

Quelles que soient les mesures de sécurité que vos enfants connaissent, ils ne peuvent généralement pas résister à l'attrait des armes. Gardez tous les fusils dans des armoires fermées à clé en vous assurant que chacun a un cran de sûreté et rangez les munitions dans une autre armoire, également sous clé et hors de portée des enfants.

De plus, gardez les couteaux sous les verrous dans un endroit hors d'atteinte. Mieux vaut prévenir que guérir.

Ne rendez pas les interdictions attrayantes

Si vous vous mettez en colère quand votre enfant transgresse une règle, il comprendra qu'il peut obtenir votre attention en se conduisant mal et sera davantage enclin à faire des mauvais coups.

Ne le punissez pas sévèrement

Utilisez les réprimandes et le «temps mort», car ils ne blessent pas l'amour-propre de votre enfant pas plus qu'ils ne le portent à croire qu'il lui suffit de casser quelque chose pour obtenir votre attention.

«NE TOUCHE PAS À ÇA!»

«La curiosité est un vilain défaut» avait coutume de dire la mère de madame Sirois à sa fille quand celle-ci grimpait sur les comptoirs. Aujourd'hui, c'est au tour de son petit-fils de quinze mois, Martin, d'explorer les lampes et les plantes qu'on lui a interdit de toucher. Sa mère a beau savoir qu'il oublie qu'il est défendu de grimper et qu'il se comporte comme un enfant normal, elle juge anormales et peu disciplinées ses propres réactions à la curiosité de son fils.

«Non, ne touche pas à ça!» crie-t-elle, en donnant une tape sur la main de son fils chaque fois qu'il touche à des objets interdits.

La mère de Martin se rendit compte qu'il commettait tous ses méfaits derrière son dos, car il avait appris à éviter les conséquences liées à sa curiosité illicite. Par conséquent, elle entreprit de mettre sous clé autant d'objets que possible, de

---

ranger les objets fragiles hors de sa portée et de demeurer autant que possible près de son fils.

«Touche avec tes yeux et non avec tes mains», lui enjoignit-elle un matin où son fils, particulièrement actif, avait entrepris de vider son coffret à bijoux, qu'elle avait omis de ranger sur l'étagère du haut. Elle déplaça le coffret et ramena son fils à la cuisine où ils s'amusèrent tous deux à sortir les chaudrons du placard. Ils jouèrent aussi avec la boîte munie d'une serrure et plusieurs autres jouets propres à stimuler l'imagination et la curiosité de l'enfant. Ces jouets convenaient à un petit de l'âge de Martin qui pouvait à son gré les démonter et essayer de les détruire.

Dès qu'elle eut mis à portée de son fils des objets avec lesquels il avait le droit de s'amuser, la maison des Sirois devint plus sécuritaire. Consciente qu'elle devait continuer de surveiller son petit curieux, sa mère ne lui en accorda pas moins une plus grande liberté puisque sa maison était sans danger pour les enfants.

Elle savait que Martin apprenait les «règles» du jeu quand il s'empara d'un sac de farine avec lequel il ne devait pas jouer et dit: «Non! À maman, pas toucher.» Pour récompenser sa bonne conduite, sa mère lui tendit une boîte de riz scellée qu'il adorait secouer comme un hochet.

L'ENFANT QUI SE LÈVE LA NUIT

Les enfants de moins de six ans ont la réputation de réclamer des histoires ou des câlins, ou de se glisser dans le lit de leurs parents dès que ceux-ci ont quitté leur chevet. Rappelez-vous que c'est de sommeil que votre enfant a besoin la nuit, même s'il veut dix histoires et quatre verres d'eau, simplement pour voir ce que vous faites ou vous ramener près de lui. Montrez-lui que dormir vous ramènera auprès de lui plus rapidement que ses subterfuges pour attirer l'attention.

Si vous ignorez si votre enfant a véritablement besoin de quelque chose ou s'il exprime simplement un désir (il ne parle pas encore ou ne fait que pleurer sans dire ce qu'il veut), allez voir ce qui se passe. S'il n'est pas malade, embrassez-le et étreignez-le rapidement (pas plus de trente secondes) et quittez sa chambre. Dites-lui d'un ton ferme et affectueux qu'il est l'heure de dormir, non de jouer.

Les mesures préventives

Discutez des règles du coucher à un moment autre que celui du coucher

Déterminez le nombre de verres d'eau ou d'excursions aux toilettes auxquels votre enfant a droit à l'heure du coucher. Énoncez ces règles à un moment neutre afin qu'il sache à quoi s'en tenir quand vient le temps d'aller au lit. Dites-lui, par exemple : «Tu peux emporter deux livres au lit et avoir un verre d'eau, et je te lirai deux histoires avant que tu t'endormes.» Si votre enfant aime se coucher avec vous, prenez une décision à ce sujet avant qu'il ne vienne dans votre chambre. (Rien ne prouve qu'il est bénéfique ou nocif pour les enfants de dormir avec leurs parents.)

Promettez des récompenses

Dites à votre enfant que s'il obéit aux règles, il aura droit à une récompense : «Si tu restes dans ton lit toute la nuit (si c'est la règle que vous avez édictée), tu auras droit à une récompense demain matin.» Les récompenses peuvent englober un mets spécial au petit-déjeuner, des excursions au parc, des jeux, des périodes de jeu avec vous ou tout ce qui peut faire plaisir à votre enfant.

Invitez-le à se rendormir

Rappelez les règles du coucher à votre enfant chaque fois que vous le remettez au lit afin de lui rafraîchir la mémoire sur vos discussions antérieures.

Les solutions

À FAIRE

Aidez votre enfant à suivre les règles

Faites en sorte que les conséquences de tout manquement à la règle soient dissuasives. Si votre enfant transgresse une règle en demandant plus de deux verres d'eau, par exemple, allez le voir et dites : «Je regrette que tu te sois levé et que tu aies enfreint la règle des deux verres d'eau. Maintenant, je vais fermer ta porte comme convenu.»

Appliquez fermement la règle

Appliquez la règle chaque fois que votre enfant l'enfreint afin de lui montrer que vous ne plaisantez pas. Par exemple, si votre enfant vient vous trouver dans votre chambre, recouchez-le en disant : «Je regrette que tu sois venu dans notre lit. Rappelle-toi la règle : chacun dort dans son lit. Je t'aime. À demain.»

Tenez vos promesses

Gagnez la confiance de votre enfant en lui accordant toujours la récompense promise quand il respecte les règles.

À ÉVITER

Ne revenez pas sur vos décisions

Une fois les règles établies, ne les changez pas sans en discuter au préalable avec votre enfant. Chaque fois que vous n'appliquez pas les règles, vous apprenez à votre enfant à essayer d'obtenir ce qu'il veut malgré votre interdiction.

Ne cédez pas aux cris

Si votre enfant pleure parce que vous appliquez la règle, rappelez-vous qu'il apprend une leçon importante pour sa santé : les nuits sont faites pour dormir. Calculez la durée de ses pleurs afin de suivre les progrès que vous faites en tentant de vaincre sa résistance au sommeil. Si vous ne faites rien, ses pleurs devraient durer de moins en moins longtemps, pour disparaître complètement.

N'utilisez pas les menaces et la peur

Des menaces telles que : «Si tu te lèves, les lézards te mangeront» ou «Si tu recommences, tu auras une raclée» ne feront qu'aggraver le problème parce que, à moins d'être mises à exécution, les menaces ne sont que des bruits dénués de sens. La peur aura peut-être pour effet de clouer votre enfant au lit, mais elle risque de le submerger au point qu'il aura peur d'un tas de choses.

Ne parlez pas à votre enfant à distance

En criant à votre enfant des menaces et des règles alors qu'il ne vous voit pas, vous lui montrez à faire de même et laissez entendre que vous ne l'aimez pas assez pour lui parler en face.

Les divagations nocturnes de Suzie

Âgée de deux ans et demi, Suzie faisait toutes ses nuits depuis l'âge de six mois. Depuis un mois, cependant, elle ne dormait que quelques heures avant de perturber le sommeil paisible de ses parents en criant: «Maman! Papa!»

Au début, ses parents se précipitaient à son chevet pour découvrir qu'elle voulait un verre d'eau ou un câlin, ou aller à la toilette.

Au bout de quelques semaines, les parents épuisés décidèrent de prendre le taureau par les cornes et de mettre un terme aux caprices de leur fille. «Si tu ne restes pas dans ton lit, tu seras punie, jeune fille», lui dirent-ils avant d'aller se recoucher. Ils réalisèrent que leur fille se dirigeait à pas de loup vers leur chambre. Ils essayèrent les fessées et les menaces... mais leur lourde main semblait avoir peu de poids.

Ils essayaient de se convaincre qu'il était normal que Suzie s'éveille au milieu de la nuit: tout le monde traversait des périodes de sommeil léger et de sommeil profond. Mais ils savaient aussi que leur fille pouvait décider de se rendormir au lieu de les appeler.

Pour résoudre la difficulté, ils décidèrent d'accorder à Suzie plus d'attention quand elle demeurait dans son lit. «Si tu restes

---

dans ton lit sans nous appeler, lui expliquèrent-ils en la bordant le lendemain soir, tu auras une surprise au petit-déjeuner demain. Mais si tu nous appelles au milieu de la nuit, nous fermerons ta porte, tu devras rester couchée et tu n'auras pas de surprise.» Ils énoncèrent la nouvelle règle en termes clairs et simples.

Cette nuit-là, la petite appela sa mère. «Veux de l'eau!» Mais sa mère tint promesse: elle ferma sa porte sans prêter attention à ses cris. «Je suis désolée que tu ne te sois pas rendormie. Je suis obligée de fermer ta porte. À demain matin.»

Après trois nuits de porte fermée et de sommeil interrompu, Suzie comprit qu'il ne servait à rien d'appeler ses parents et que le fait de rester dans son lit toute la nuit lui apportait les surprises promises au matin. En outre, non seulement ses parents étaient-ils mieux reposés, mais en prime, elle se sentait grande et importante quand ils la félicitaient d'être restée dans son lit toute la nuit.

LES TROUBLES DÉFICITAIRES DE L'ATTENTION AVEC OU SANS HYPERACTIVITÉ

«Qu'est-ce que Joël est agité!» s'exclama sa grand-mère épuisée qui le gardait depuis deux heures. «Il ne tient pas en place un instant, pas même pour manger!» Ça n'était pas la première fois que la mère de Joël entendait le terme «agité» accolé aux comportements son fils, et elle-même l'avait déjà fait, mais que sa propre mère utilise ce mot lui donna toutefois un choc. Elle commença à se demander si son fils était bien le petit garçon de deux ans éveillé et curieux de tout qu'elle croyait ou s'il était hyperactif?

Pour poser un diagnostic sûr, l'enfant doit présenter plusieurs symptômes: remuer sans arrêt, être incapable de rester assis, courir ou grimper partout, avoir de la difficulté à jouer calmement, être constamment occupé à quelque chose ou parler du matin au soir, répondre avant même qu'une question ne lui soit posée, être incapable de se mettre en file ou d'attendre son tour, couper la parole, imposer sa présence aux autres. Comme vous pouvez le constater, tous ces comportements caractérisent plus ou moins les enfants d'âge préscolaire. Il est donc très difficile d'affirmer avec certitude que votre «toupie» est un enfant hyperactif. Il devra subir une batterie de tests avant qu'un diagnostic sûr puisse être établi et, dans le cas d'un enfant d'âge préscolaire, ce diagnostic ne peut en aucun cas être considéré comme définitif. Si votre petit présente quatre des comportements énumérés précédemment sur une période d'au moins six mois, consultez un spécialiste, qui vous aidera à faire la différence entre un enfant agité et un enfant hyperactif et vous proposera des solutions adaptées à votre situation.

L'hyperactivité fait partie d'un désordre connu sous le nom de «Troubles déficitaires de l'attention avec ou sans hyperactivité (TDAH)». On en distingue trois types : TDAH avec prédominance des troubles de l'attention ; TDAH avec prédominance de l'hyperactivité et de l'impulsivité ; et une combinaison des deux. Toutes les formes de TDAH sont difficiles à diagnostiquer avant que l'enfant n'ait atteint l'âge cinq ans et ne commence à fréquenter l'école régulièrement. En effet, il est alors possible d'évaluer sa capacité à se conformer à certaines règles : rester assis pendant un certain temps, se concentrer sur une tâche et mémoriser des connaissances qui seront évaluées par la suite. Son portrait se dessine avec plus de netteté, ce qui facilite l'établissement d'un diagnostic (*voir l'Annexe 4, page 245*).

Les mesures préventives

Suggérez-lui des activités calmes

Si votre enfant court au lieu de marcher et crie au lieu de parler, proposez-lui des activités calmes afin de l'aider à ralentir le rythme. Par exemple, jouez à un jeu de société, racontez-lui une histoire et profitez d'un moment propice pour lui apprendre à ralentir la cadence et à profiter des moments de calme que vous aurez réussi à créer.

Et vous, à quel rythme allez-vous ?

Est-ce que plusieurs personnes de votre famille souffrent de TDAH ? Les résultats de recherches ont démontré qu'une personne atteinte de ce désordre a de grandes chances que ses enfants en souffrent également. Et qu'en est-il de vous? Vous arrive-t-il de vous asseoir tranquillement et de prendre le temps de vivre? Parlez-vous à deux cents à l'heure? À quelle allure marchez-vous? Êtes-vous constamment pressé? Si vous êtes du type branché à une centrale nucléaire, avec de multiples projets en branle, et que votre «hyper» activité ne fait pas obstacle à votre succès et à votre bonheur, alors votre enfant a de grandes chances de vous ressembler. De plus, les petits enfants apprennent surtout par imitation, alors ralentissez la cadence et votre enfant aura tendance à faire comme vous. Apprenez donc ensemble à savourer pleinement le moment présent.

Évitez les émissions de télé «hyper»
Si votre enfant bouge constamment, vous devriez encourager les jeux calmes. Ça n'est pas une bonne idée que de le laisser regarder des émissions complètement débridées qui donnent l'exemple de comportements que vous ne voulez surtout pas que votre enfant imite. Éteignez le téléviseur et vous éliminerez au moins une des sources de bruit et d'«hyperactivité» que vous désirez bannir de votre foyer. Encouragez plutôt votre enfant à écouter de la musique douce et à baisser le son du téléviseur.

Les solutions

À FAIRE

Ralentissez la cadence
Apprenez à votre enfant à marcher plutôt qu'à courir. «Montre-moi que tu es capable de marcher de la cuisine à la salle de séjour. Je sais que tu peux le faire. Lorsque tu marches au lieu de courir, tu risques moins de te blesser.» Augmentez graduellement le nombre de «marches» par session, jusqu'à un maximum de dix.

Offrez-lui plusieurs choix

Les enfants très actifs ont tendance à butiner sans arrêt d'une activité à l'autre et restent difficilement en place. Laissez votre enfant choisir entre plusieurs activités : «Tu peux colorier, jouer avec de la pâte à modeler ou avec tes cubes. Je vais mettre le minuteur et, lorsqu'il sonnera, tu pourras choisir un autre jeu si tu le désires.» Ainsi, votre enfant pourra répondre à son besoin incessant de bouger sans vous faire perdre patience.

Privilégiez l'exercice

Votre enfant débordant d'énergie doit trouver un débouché qui lui permettra de la dépenser de façon constructive. Sortez aussi souvent que possible dehors et laissez-le courir à souhait au parc ou dans votre jardin. Assurez-vous qu'il a cette possibilité lorsqu'il va à la préma-ternelle ou à la garderie. Vous serez peut-être tenté de l'inscrire dans une équipe sportive avec ses copains, mais attention. Évitez de lui faire pratiquer un sport où il risque de se blesser ou qui le conduira à l'épuisement avant qu'il n'atteigne à l'âge de dix ans. Les tout-petits ont besoin de dépenser librement leur énergie et il peut être nuisible de les enrégimenter dans un sport organisé et compétitif.

Apprenez-lui à se relaxer

La relaxation permettra à votre enfant de se détendre, de ralentir le rythme et de se sentir plus calme. Encouragez-le à marcher plus doucement, plus lentement et parlez-lui d'une voix douce et réconfortante ; massez-lui le dos et aidez-le à détendre chaque partie de son corps.

Demandez de l'aide

Si votre enfant est agité au point de se mettre en danger, de nuire aux gens de son entourage et de compromettre son apprentissage, consultez un professionnel afin de découvrir la cause de phénomène.

À ÉVITER

Ne punissez pas votre enfant

Si votre enfant entre accidentellement en collision avec votre vase le plus précieux, inspirez profondément et dites : «Je regrette que tu aies choisi de courir au lieu de marcher. Maintenant, tu vas t'exercer à marcher dans la maison, ainsi je saurai que tu es capable de le faire. Ensuite, nous irons nettoyer les dégâts.» De cette façon vous rencontrez trois objectifs : vous apprenez à votre enfant à marcher au lieu de courir, à respecter la propriété d'autrui et à être responsable de ses gestes.

Ne coincez pas votre enfant à l'intérieur de la maison

Votre enfant doit sortir dehors à plusieurs reprises durant la journée, aussi, si vous le confinez à la maison ou dans sa chambre, vous n'obtiendrez que deux résultats : son agitation atteindra des sommets, jusqu'à devenir pratiquement incontrôlable et il apprendra à dépenser son trop plein d'énergie dans la maison plutôt qu'à l'extérieur.

Ne comptez pas uniquement sur la médication

La médication n'est pas une panacée et ne vous dispense pas d'apprendre à votre enfant à se contrôler. Faites-le examiner par un spécialiste expérimenté dans ce domaine avant de décider quels outils d'apprentissage et quelle médication seront nécessaires pour le bien-être de votre enfant.

MERLIN LE PASSIONNÉ

Lors d'une rencontre avec le professeur de prématernelle de leur enfant, Marlène et Philippe ne furent pas surpris de ses commentaires au sujet de Merlin, leur fils de cinq ans, qui était selon ses dires «très» actif. Marlène dit: «Il n'était même pas né que je n'arrivais pas à dormir la nuit parce qu'il gigotait trop. Lorsque Philippe passe la nuit à l'extérieur à cause de son travail, mon fils vient parfois dormir dans mon lit et c'est encore pareil! Il ne marche pas, il court. Il est comme son père.» Cela dit, elle posa sa main sur le genou de son mari qui tapait du pied depuis le début de la conférence.

Philippe arbora un large sourire: «Ouais, je ne donnais pas ma place lorsque j'étais petit. Ma mère devait se présenter régulièrement à l'école pour me sortir du pétrin, parce que je n'arrêtais pas de me lever de mon siège, de parler ou de faire des bêtises. Dans mon cas, il a fallu que je prenne des médicaments. Croyez-vous que Merlin en a besoin?»

«Eh, bien! pas pour le moment, répondit son professeur. Son comportement ne pose pas encore problème, mais nous verrons comment la situation évoluera. L'an prochain, à la maternelle, vous devrez travailler en étroite collaboration avec son professeur afin de déterminer ses besoins. Mais en attendant, voici une liste de choses que vous pouvez faire afin de l'aider à ralentir un peu le rythme, ainsi que des noms de spécialistes auxquels vous pourrez vous adresser si vous le jugez nécessaire. Il va de soi que votre enfant ne doit prendre aucune médication sans avoir été soigneusement examiné et évalué au préalable par des personnes compétentes et expérimentées.»

Marlène et Philippe prirent ces conseils au sérieux et commencèrent à travailler avec Merlin. Ils consacraient plusieurs périodes par jour à lui raconter des histoires et à lui apprendre à se relaxer. Au début, le petit garçon ne pouvait rester en place plus d'une minute, mais graduellement, il réussit à rester assis pendant une dizaine de minutes. De plus, fidèles aux recommandations du professeur de leur fils, ils éliminèrent certaines émissions de télévision violentes, entre autres celles sur la lutte et le karaté. De plus, ils établirent une nouvelle règle à l'effet que, dans la maison il fallait dorénavant marcher au lieu de courir. Il n'était permis de courir qu'à l'extérieur. Ils durent lui apprendre à respecter cette règle grâce à plusieurs séances où il s'exerçait à marcher dans la maison.

«Mais quand je suis pressé, pourquoi est-ce que je ne peux pas courir?» se lamenta Merlin. Sa mère sourit à la question de son fils. Elle se rappelait que, il n'y a pas si longtemps, elle avait conseillé à son mari de marcher au lieu de courir dans la maison. En effet, ce dernier s'était cogné contre une lampe, dans son empressement à ne pas manquer le début de son émission favorite.

«Parce que c'est contre le règlement, répondit sa mère. Tu pourras courir tant que tu voudras à l'extérieur. Là, tu as tout l'espace qu'il te faut, et puis, tu ne risques pas de te cogner contre les meubles!»

Marlène initia également son fils à la relaxation à l'heure du coucher. Elle lui massait le dos en répétant d'une voix douce: «Tu te sens calme et détendu. Tes pieds sont lourds et tout mous; tes jambes, ton ventre, ton dos, tes bras et tes mains sont détendus. Ton esprit est calme et tout ton corps est ramolli. Tu te sens bien au chaud dans ton petit lit douillet.»

Petit à petit, Merlin est devenu plus calme. Il n'y arrivait pas toujours facilement, mais avec l'aide de ses parents et de son professeur, il fit de réels progrès et son entrée à l'école des «grands» s'annonçait bien.

LES INTERACTIONS AVEC DES INCONNUS

« **N**'accepte jamais de bonbons d'un inconnu» est un avertissement que des milliers de parents servent à leurs enfants d'âge
préscolaire chaque fois qu'ils s'aventurent à l'extérieur de la maison
sans eux. Or, c'est un avertissement valable. Les enfants doivent apprendre comment se comporter en général avec les inconnus tout
comme ils doivent savoir comment agir avec les gens avec qui ils sont
censés socialiser. Minimisez la peur de votre enfant envers les inconnus en lui montrant la différence entre saluer un inconnu et le
suivre ou obéir à ses suggestions. Très tôt, votre enfant se sentira en
sécurité, car il saura comment se comporter tant en votre présence
qu'en votre absence.

Les mesures préventives

Établissez les règles
Expliquez à votre enfant la conduite à tenir avec les inconnus. Voici la
règle d'or: «Lorsque je suis avec toi, tu peux dire "bonjour" et parler
aux personnes que tu ne connais pas, mais si un inconnu te demande
de le suivre ou veut te donner quelque chose, tu dis "non", tu cours à
la maison la plus proche et tu sonnes.»

Habituez-le à observer les règles

Faites semblant d'être un inconnu et demandez à votre enfant de suivre les instructions concernant la conduite à tenir avec des étrangers. Répétez divers scénarios, vous assurant qu'il a bien assimilé la leçon.

N'essayez pas d'effrayer votre enfant

La peur n'engendre que la confusion et n'enseigne pas la bonne conduite à votre enfant. Celui-ci doit savoir comment réfléchir par lui-même quand un inconnu s'immisce dans sa vie privée. Une grande peur détruira sa capacité d'agir adéquatement.

Les solutions

À FAIRE

Rappelez la règle à votre enfant
en le félicitant de sa bonne conduite

Si votre enfant dit bonjour à un inconnu en votre présence, félicitez-le d'avoir suivi la règle : «Je suis content que tu te sois souvenu de dire "bonjour" à une personne que tu ne connais pas quand papa ou maman sont avec toi. Maintenant dis-moi ce que tu feras si un étranger t'adresse la parole lorsque je suis absent.» S'il a bien compris la leçon félicitez-le.

Encouragez votre enfant à se montrer amical

Comme les enfants amicaux sont plus facilement acceptés par les autres à mesure qu'ils grandissent, il est important de leur inculquer cette attitude. Les jeunes comme les plus âgés doivent apprendre jusqu'à quel point, quand et comment ils doivent se montrer aimables. Par exemple, le fait d'inviter à votre enfant à saluer un étranger en votre présence l'encourage à être aimable. Mais le fait de lui défendre d'adresser la parole à des étrangers en votre absence est pour votre enfant un gage de sécurité.

Donnez l'exemple

Il est impossible pour un enfant de différencier rapidement les inconnus potentiellement dangereux de ceux qui ne le sont pas. Expliquez à votre enfant que même s'il est aimable avec un étranger, que vous soyez présent ou non, il ne doit jamais, au grand jamais, accepter des bonbons, des cadeaux, une randonnée, ni l'aider à retrouver son chat ou son chien.

À ÉVITER

N'inculquez pas la peur des autres à votre enfant

Pour éviter à votre enfant les dangers d'une agression, enseignez-lui la règle, mais ne lui apprenez pas à craindre les gens. La peur a pour effet d'inhiber le processus de décision, et ce, à tout âge.

Ne craignez pas que votre enfant dérange les autres en les saluant

Même si on ne lui rend pas son salut, il est bon que votre enfant salue les gens à un moment et à un endroit opportuns.

LA SÉCURITÉ D'ÉRIC

Comment montrer à notre petit Éric, qui a trois ans et demi, à être aimable sans s'exposer à un danger? Voilà la difficulté qu'affrontaient ses parents en tentant de résoudre le problème que leur causait leur fils qui allait spontanément vers de parfaits inconnus dans la rue. Et si jamais cela allait plus loin qu'un simple bonjour avec la mauvaise personne? se demandaient-ils avec inquiétude.

«Un jour, quelqu'un pourrait profiter de ton amabilité», expliquèrent-ils au petit Éric avec leur logique d'adulte. «Ne parle pas aux inconnus», lui ordonnèrent-ils fermement en voyant que leur explication logique n'avait pas mis un frein à son amabilité.

Éric écouta ces ordres inflexibles avec une attention si vive qu'il devint terrifié et se mit à hurler chaque fois que ses parents voulaient l'emmener à l'épicerie ou au centre commercial où rôdaient des inconnus. Il ne voulait pas voir d'étrangers, expliqua-t-il à sa mère. Ils étaient si méchants et si dangereux qu'il ne pouvait même pas les saluer.

Sa mère était frustrée de voir que ses conseils bien intentionnés se retournaient ainsi contre elle. Elle finit par comprendre qu'Éric ne saisissait pas la différence entre dire bonjour, une habitude que son mari et elle ne voulaient pas réprimer chez lui, et suivre des étrangers ou accepter quelque chose d'eux. Or, c'est précisément ces deux derniers comportements que les Doiron voulaient prévenir. Éric ne comprenait pas parce que sa mère ne lui avait jamais donné l'occasion de comprendre.

« Les inconnus peuvent être dangereux si tu les suis ou si tu acceptes quelque chose d'eux, affirma-t-elle à son fils. Voici la nouvelle règle : tu peux parler à qui tu veux, mais si la personne te donne quelque chose ou veut t'emmener avec elle, refuse ce qu'elle t'offre et cours à la maison la plus proche ou entre dans un magasin et va vers l'adulte le plus proche. » Tous deux s'exercèrent en allant au centre commercial où Éric suivit ces directives pendant que sa mère jouait à être « l'inconnu ».

Rassurée, elle lui rappela la règle chaque semaine jusqu'au moment où elle se rendit compte que celle-ci était désormais une habitude chez Éric et non plus une façon bizarre de naviguer dans le monde. Pour renforcer la leçon, la mère d'Éric s'exerça elle-même à saluer les gens, et son fils la complimenta pour avoir suivi la règle, tout comme elle l'avait fait pour lui.

Le problème ne fut jamais complètement résolu dans l'esprit des parents d'Éric, car ils comprirent qu'ils devaient rappeler régulièrement la règle à leur fils afin de s'assurer que cette habitude susceptible de lui sauver la vie un jour, était bien ancrée.

LES INTERRUPTIONS

Parce que le bien le plus précieux des enfants d'âge préscolaire est l'attention parentale, ils font tout leur possible pour ramener cette attention sur eux quand le téléphone, une tierce personne ou la sonnerie de la porte d'entrée la leur ravit. Limitez les tours que vous joue votre enfant pour obtenir toute votre attention en réservant certains jouets aux moments où vous bavardez avec ses «rivaux». Ils distrairont votre enfant tandis que vous serez occupé.

Les mesures préventives

Limitez la durée de vos conversations

Sachant que l'aptitude de votre enfant à retarder les gratifications est plutôt limitée, soyez un parent prudent en écourtant vos conversations quand votre enfant est près de vous et inactif, et qu'il sollicite votre attention.

Exercez-vous au jeu du téléphone

Vous devrez apprendre à votre enfant à ne pas vous interrompre lorsque vous parlez au téléphone. Exercez votre enfant en ayant une conversation téléphonique avec lui: «Voici comment je parle au téléphone et voici comment tu t'amuses pendant ce temps-là.» Laissez ensuite votre enfant parler au téléphone pendant que vous devenez l'observateur. Votre enfant comprend ainsi en quoi consiste une interruption tout en apprenant par quels comportements la remplacer.

Édictez des règles sur les jeux du téléphone

Gardez à proximité du téléphone du matériel et des jouets auxquels votre enfant n'aura accès que lorsque vous serez au téléphone (laissez les enfants de plus de deux ans les choisir eux-mêmes). Insistez pour que votre enfant joue avec ces jouets-là pendant ce temps et surveillez-le. Accordez-lui de l'attention en lui souriant et en le félicitant parce qu'il s'amuse bien. La peinture avec les doigts et les marqueurs magiques sont des jouets qui exigent une surveillance de votre part, aussi, votre enfant ne devrait y avoir accès que si vous le supervisez. En choisissant les jouets réservés aux moments où vous parlez au téléphone, demandez-vous si votre enfant peut jouer avec eux sans surveillance afin de limiter les interruptions nécessitées par ses jeux.

Les solutions

À FAIRE

**Félicitez votre enfant quand il s'amuse sagement
sans vous interrompre**

Si votre enfant reçoit de l'attention (sourires, félicitations, etc.) quand il est sage et ne vous interrompt pas, il n'éprouvera pas le besoin ou le désir d'interrompre votre conversation pour placer son mot. Excusez-vous auprès de votre interlocuteur et dites à votre enfant : «C'est gentil à toi de jouer si sagement avec ta poupée. Je suis très fière que tu t'amuses toute seule.»

Intégrez votre enfant à vos activités

Essayez de le faire participer à votre conversation quand une amie vous rend visite, par exemple, afin de réduire ses chances de vous interrompre pour manifester sa présence.

Appliquez la règle de grand-mère

Indiquez à votre enfant que vous serez bientôt tout à lui et qu'il peut mériter votre attention en s'amusant pendant qu'il vous attend. Limitez votre conversation au moyen du minuteur ; dites à votre enfant qu'il pourra vous parler après la sonnerie : « Quand tu auras joué deux minutes avec tes jouets et que le minuteur sonnera, j'aurai fini de parler au téléphone, et je jouerai avec toi. »

Réprimandez votre enfant et envoyez-le au « temps mort »

Réprimandez-le ainsi : « Cesse de m'interrompre. Je ne peux pas parler avec mon amie si tu m'interromps constamment. Au lieu de me déranger, joue avec tes voitures. » S'il continue, envoyez-le au « temps mort » afin de lui ôter toute possibilité d'obtenir une attention immédiate en vous interrompant. Exemple : « Je regrette que tu continues de m'interrompre. Temps mort. » (*Voir l'Annexe 3, page 242.*)

À ÉVITER

Ne vous mettez pas en colère si votre enfant vous interrompt

Ne l'encouragez pas à vous interrompre en lui apprenant comment faire.

Évitez d'interrompre votre enfant

Même si votre enfant est un véritable moulin à paroles, montrez-lui que vous mettez en pratique ce que vous préconisez en évitant de l'interrompre quand il parle.

«PAS MAINTENANT, ÉLISABETH»

Chaque fois que le téléphone sonnait, la petite Élisabeth, âgée de trois ans, interrompait la conversation de sa mère en réclamant du jus ou un jouet rangé trop haut, ou en lui demandant: «Où est-ce que nous allons aujourd'hui?» Sa mère lui expliquait calmement chaque fois: «Chérie, maman est au téléphone. Ne m'interromps pas, s'il te plaît.»

Or, comme Élisabeth continuait son manège, sa mère finit par s'impatienter: «Cesse de m'interrompre! Méchante fille!» lui dit-elle, en lui donnant une tape sur les fesses pour qu'elle «la ferme». Or cette tape n'eut d'autre résultat que de faire enrager Élisabeth, qui se mit à pousser des hurlements si violents que sa mère dut raccrocher.

Plus sa mère s'impatientait, plus Élisabeth l'interrompait. Sa mère finit par comprendre cette relation de cause à effet et par l'inverser. Désormais, elle accorderait de l'attention à sa fille seulement lorsqu'elle s'abstiendrait de l'interrompre, et non le contraire.

Le lendemain, quand son amie Simone téléphona pour son bavardage habituel du lundi matin, la mère d'Élizabeth l'informa qu'elle la rappellerait, car elle jouait avec sa fille, une règle qu'elle avait établie afin de réduire les chances que celle-ci n'interrompe sa conversation téléphonique.

Comme elle expliquait sa nouvelle ligne de conduite à son amie, elle remarqua que sa fille s'amusait avec son casse-tête. «Merci de ne pas m'avoir interrompue», lui dit-elle en l'enlaçant. Élisabeth se mit à jouer avec les jouets que sa mère avait placés près du téléphone exprès pour ces moments-là. Ils la fascinaient tout particulièrement, parce qu'ils s'appelaient «jouets du téléphone» et qu'elle pouvait jouer avec eux seulement quand sa mère parlait au téléphone.

Quand elle eut raccroché, la mère d'Élizabeth félicita sa petite fille de nouveau: «Merci de ne pas m'avoir interrompue pendant que je parlais à Simone de notre dîner de ce soir, expliqua-t-elle. Elle voulait une recette de pain de viande, ajouta-t-elle. Tiens, tu pourras dessiner avec ces marqueurs, si tu veux, quand je serai au téléphone.»

Lorsque le téléphone sonna de nouveau, un sourire d'anticipation plutôt qu'un air malicieux se peignit sur le visage d'Élisabeth. «Élisabeth, le téléphone sonne. Prends les jouets du téléphone», proposa sa mère. Élisabeth courut prendre les marqueurs, et un compliment occasionnel l'aida à demeurer occupée sous l'œil attentif de sa mère pendant toute la durée de sa conversation.

LA JALOUSIE

Les enfants en bas âge se croient le centre de l'univers ; à leurs yeux, il est donc normal que toute l'attention soit dirigée sur eux. La jalousie et la rivalité entre enfants d'une même famille trouvent leur origine dans cet égocentrisme. Un enfant qui ne reçoit pas l'attention qu'il demande parce qu'un de ses parents s'occupe de bébé, de son frère ou de sa sœur ou même d'un autre adulte peut se transformer en monstre vert. Envahi par la jalousie, il boude, fait du sabotage, hurle ou attire l'attention en frappant un autre enfant, en brisant des jouets, en faisant des colères. Justifiée ou non, la jalousie de votre enfant peut mettre votre patience à très rude épreuve. Vous pouvez transformer ces moments de tension en occasions d'apprentissage. Donnez-lui du même coup l'attention dont il a besoin et l'occasion de se rendre utile. (*Voir « La rivalité fraternelle », page 188.*)

Les mesures préventives

Invitez votre enfant à participer

Au moment de changer bébé, demandez à votre bambin de vous apporter une couche propre, de tenir la bouteille de lotion ou de distraire son petit frère ou sa petite sœur. Si votre enfant d'âge préscolaire éprouve de la jalousie lorsque vous serrez votre conjoint dans vos bras, ouvrez les bras et invitez-le à se joindre à vous. Vous verrez probablement le baromètre revenir au beau fixe !

Félicitez-le lorsqu'il partage votre attention

Si votre enfant accepte que vous accordiez de l'attention à une autre personne, félicitez-le : «J'ai beaucoup apprécié que tu me laisses m'occuper du bébé. Je te remercie. Tu es très généreux !»

Accordez de la place à votre enfant

Pourquoi ne pas demander à votre aîné d'ouvrir le cadeau destiné au bébé et de le lui offrir ? Ce simple geste a de grandes chances de prévenir l'apparition du monstre vert. Encouragez parents et amis à offrir des cadeaux aux deux enfants lors de leur visite, cela confirmera à votre aîné qu'il n'a pas perdu sa place.

Les solutions

À FAIRE

Soyez empathique

Manifestez à votre enfant qui éprouve de la jalousie que vous le comprenez : «Je sais que cela te déplaît que je m'occupe du bébé, mais je crois que tu es capable d'attendre. Va jouer et, lorsque j'aurai terminé, nous jouerons à quelque chose ensemble.»

Proposez-lui des activités

Le fait de passer du temps avec votre conjoint peut amener votre enfant à se sentir délaissé. Dans ce cas, suggérez-lui une activité en attendant de pouvoir lui accorder toute votre attention : «Ton père et moi désirons nous parler un moment. Joue à quelque chose jusqu'à ce que le minuteur sonne. Ensuite, ça sera à ton tour.»

Passez du temps avec chacun de vos enfants

Les mots «amour» et «temps» signifient une seule et même chose pour un enfant. Prenez le temps de lui raconter une histoire, de répondre à ses questions, de manger en famille, de jouer avec lui. Rassuré sur la place qu'il occupe dans votre cœur, sa jalousie fondra comme neige au soleil.

Demandez à l'enfant jaloux de se rendre utile

D'une part, le tout-petit désire recevoir toute l'attention de ses parents et, d'autre part, il réclame son indépendance à grands cris. Mais son désir d'autonomie le force à renoncer à cette attention qu'il a tendance à rechercher par tous les moyens. Si vous invitez votre enfant à vous aider à prendre soin des plus petits, vous l'aidez à surmonter sa jalousie et lui proposez un comportement acceptable. Il en retirera une fierté très légitime. «Je sais que tu aimerais que l'on joue ensemble tout de suite, mais avant, je dois amener ton frère à sa partie de soccer. J'aimerais bien offrir des oranges à toute l'équipe. Viens-tu m'aider à les mettre dans le sac? Tu en veux une?»

À ÉVITER

Ne faites pas de comparaisons

Si vous dites à votre enfant: «Je souhaiterais que tu sois aussi serviable que ton petit frère» ou «Pourquoi n'es-tu pas aussi gentil que ta grande sœur?», il croit que vous êtes déçu de lui. Il se croit moins aimable que les autres membres de la famille, ce qui réveille à coup sûr le monstre vert qui sommeille en lui.

Ne le punissez pas

Lorsque votre enfant réclame votre attention à grands cris, inutile de le punir. Cela ne fera qu'accroître son sentiment d'injustice. Il est préférable de lui offrir une alternative : « Je suis désolé que tu sois fâché parce que je ne joue pas avec toi. Faisons un marché. Je jouerai avec ta petite sœur jusqu'à ce que le minuteur sonne, puis je te lirai une histoire. La prochaine fois, ce sera toi le premier. »

Le monstre vert

Janie était au comble du bonheur lorsqu'elle apprit qu'elle allait avoir un petit frère. Elle s'imaginait avec délices l'arrivée de ce compagnon de jeu qui, croyait-elle, serait un jouet fascinant. Ses parents, Samuel et Christine, étaient convaincus que Janie accepterait facilement le nouveau venu, mais la réalité fut tout autre !

Au début, tout se passa bien. Grand-maman était à la maison et Janie recevait beaucoup d'attention. Malgré cela, elle dit à ses parents que le bébé avait l'air bizarre, qu'il sentait parfois mauvais et qu'il ne jouait pas avec elle autant qu'elle l'aurait voulu. Mais elle les rassura en disant : « Je crois qu'il peut tout de même rester… Gardons-le encore un peu. »

Mais le jour arriva où sa grand-mère retourna chez elle – à mille kilomètres de là – et où Janie prit conscience que le bébé était là pour rester. De plus, elle trouvait que son père et sa mère passaient beaucoup trop de temps auprès de lui. C'est alors qu'elle décida qu'elle devait reprendre sa place d'enfant numéro un dans cette famille.

Sa mère ne tint compte ni de ses plaintes ni de ses lamentations et continua de s'occuper du bébé. Janie bouda, mais personne ne semblait le remarquer. C'est alors qu'elle refusa d'obéir à ses parents, de ranger ses jouets et de se brosser les dents. Sa mère était exaspérée par ce changement d'attitude : « Mais qu'est-ce qui te prends ! Cela suffit maintenant ! »

Lorsque son père apprit ce qui s'était passé, il dit : « Ah ! je comprends tout, maintenant ! Nous avons la visite du monstre vert. Ta mère nous avait bien dit qu'il allait probablement venir. »

Les parents de Janie décidèrent de l'inviter à participer aux soins du bébé. Promue au titre d'aide-maman, elle assistait fidèlement sa mère lorsque cette dernière changeait le bébé de couche ou le nourrissait. Elle tenait même un livre ouvert sur ses genoux, permettant à sa mère de raconter une histoire pendant ce temps. Et lorsque sa grand-mère venait les visiter, elle apportait des cadeaux aux deux enfants et demandait à Janie de déballer celui de son petit frère. Sa grand-mère passait beaucoup de temps avec elle afin qu'elle ne se sente pas délaissée lorsqu'elle s'occupait du bébé.

Peu à peu, le monstre vert est redevenu une fillette agréable à côtoyer. Ses parents savaient qu'en témoignant de l'empathie à leur fille, ils l'avaient aidée à accepter l'arrivée de son petit frère et à endosser avec dignité son rôle important de grande sœur.

LES MENSONGES

L'enfant d'âge préscolaire vit dans un monde où rêve et réalité s'entremêlent. Il adore jouer à faire semblant, regarder des dessins animés; il croit au Père Noël, aux fées, aux sorcières et à des héros tout-puissants. Ses fabulations reflètent souvent ses peurs. Par exemple, un tout-petit qui hurle: «Maman! il y a un monstre dans ma chambre!» exprime probablement sa peur du noir. Un tout-petit enfant arrive à se convaincre d'à peu près n'importe quoi, même du plus gros mensonge qui soit.

L'apparition des mensonges marque un pas vers l'autonomie, amenant l'enfant à se dégager quelque peu du contrôle parental et à déployer ses ailes naissantes. Que faire? Les parents doivent détecter les mensonges et amener leur enfant à découvrir les avantages à dire la vérité. Si vous leur montrez combien celle-ci compte à vos yeux, vous l'amènerez à prendre conscience de l'importance de l'honnêteté.

Les mesures préventives

Encouragez-le à dire la vérité

Félicitez votre enfant lorsqu'il dit la vérité, même s'il avoue avoir désobéi. Cela l'aidera à saisir la différence entre ce qui est vrai et ce qui ne l'est pas.

Dites la vérité

Le parent à qui son enfant demande un biscuit avant le dîner pourrait être tenté de lui répondre qu'il n'y en a plus au lieu de lui dire qu'il est défendu d'en manger avant le repas. En ne lui disant pas la vérité, vous lui apprenez qu'il est acceptable de mentir pour se sortir d'un mauvais pas. Il sait pertinemment où se trouvent les biscuits, aussi, ne faites pas semblant qu'il l'ignore. Affirmez plutôt: «Je sais que tu désires un biscuit, mais tu ne peux pas en manger avant le repas; tu en prendras un toi-même pour dessert.»

Apprenez à reconnaître un mensonge

Il existe plusieurs causes au mensonge. La plus commune consiste à mentir pour éviter les problèmes: «Ce n'est pas moi qui ai pris le dernier biscuit, je le jure!» Une autre, très populaire, permet d'éviter de faire quelque chose qui nous déplaît: «Oui, maman, je me suis brossé les dents», alors qu'il n'en est rien. Et encore mieux, pour impressionner ses amis: «J'ai *trois* chevaux et je galope tous les jours!»

Soyez empathique

Tenez compte du type de mensonge proféré lorsque vous intervenez auprès de votre enfant. Si, par exemple, il nie avoir barbouillé le mur alors tous les indices pointent dans sa direction, vous pouvez lui dire: «Je sais que tu ne veux pas être puni, mais je suis très déçue que tu choisisses de me mentir. J'aimerais beaucoup mieux que tu me dises la vérité et que nous trouvions une solution ensemble.» L'enfant fera plus facilement face à la musique s'il sent que vous êtes sensible à ce qu'il ressent.

Trouvez des exemples d'honnêteté

Soyez à la recherche de personnes et d'événements qui démontrent la valeur de l'honnêteté et de la vérité et présentez-les en exemple à votre enfant afin qu'il en comprenne bien l'importance.

Les solutions

À FAIRE

Montrez les conséquences fâcheuses du mensonge

Expliquez à votre enfant que le mensonge lui nuit autant qu'à vous. «Je suis désolé que tu aies choisi de me mentir. Je me sens triste parce que je ne peux te faire confiance. À partir de maintenant, je veux que tu me dises la vérité.»

Expliquez la différence entre la vérité et le mensonge

Les bambins ignorent parfois qu'ils mentent, car ils ont tendance à croire leurs fabulations. Aidez votre enfant à faire la différence entre les fantasmes et la réalité en disant, par exemple: «Je sais que tu désires que ton ami t'aime, mais il est faux de prétendre que tu possèdes 101 dalmatiens. La vérité est que tu aimerais posséder tous ces chiens, mais que tu n'en as qu'un seul, Prince, qui est très gentil et que tu aimes beaucoup.»

Aidez votre enfant à prendre ses responsabilités

Vous demandez à votre fils d'aller ranger ses jouets dans sa chambre. Il sera peut-être tenté de vous dire qu'il l'a déjà fait, car cette tâche le rebute. Dans ce cas, répondez-lui que vous avez hâte de voir le résultat de ses efforts. S'il vous répond: «Oh non! maman, pas tout de suite!», il y a de bonnes chances qu'il vous ait menti. Dans ce cas, dites-lui: «Je suis désolée que tu m'aies raconté des histoires. Je sais que tu n'avais pas envie de ranger toutes ces choses et que tu ne voulais pas me décevoir, mais je veux deux choses: que tu ranges tes jouets et que tu cesses de me mentir. Maintenant, allez, va faire ce que je t'ai demandé.»

Apprenez à votre enfant à dire la vérité

Il faudra que vous appreniez à votre enfant à dire la vérité et il devra s'y exercer. Profitez des occasions qui se présentent: «Je suis déçue que tu ne m'aies menti lorsque je t'ai demandé si tu avais fermé la télé. Viens, on va s'exercer à dire la vérité. Je veux que tu me dises : "Oui maman, je vais fermer la télé lorsque mon émission sera terminée." Maintenant, allons-y.»

Jouez à faire semblant

Une bonne façon d'amener votre enfant à comprendre la différence entre vérité et mensonge consiste à faire semblant. Faites-lui remarquer la différence entre les moments où on invente des histoires et ceux où on dit la vérité. Informez votre enfant que vous savez qu'il ment : «C'est une histoire très intéressante que tu viens d'inventer là. Maintenant, dis-moi ce qui s'est passé pour de vrai.»

À ÉVITER

Ne mettez pas votre enfant à l'épreuve inutilement

Pourquoi demander à un enfant s'il a fait quelque chose de répréhensible si on a la certitude qu'il l'a fait ? Pourquoi l'amener à choisir entre dire la vérité et encourir une punition ou mentir et courir la chance de s'en sortir indemne ? Ne le placez pas dans cette situation.

Ne le punissez pas

Même si vous savez pertinemment que votre enfant ment afin d'éviter les conséquences de ses actes, ne le punissez pas. Enseignez-lui plutôt à accepter ses erreurs et à les réparer : «C'est dommage que le mur soit barbouillé. Il va maintenant falloir le nettoyer. Je vais chercher le nettoyant et toi, va chercher un linge propre. Tu vois, lorsque tu me dis la vérité, nous pouvons réparer les dégâts.»

Ne mentez pas

Évitez d'exagérer ou d'inventer des histoires afin d'impressionner les gens, de ne pas faire face aux conséquences de vos gestes ou d'éviter une chose qui vous déplaît.

Ne perdez pas votre calme

Même si vous ne pouvez tolérer le mensonge, il ne sert à rien de se fâcher lorsque votre enfant vous ment. Cela ne l'amènera qu'à vous mentir davantage afin de ne pas déclencher votre colère.

Ne traitez pas votre enfant de menteur

En traitant un enfant de menteur, on ne fait que l'encourager à mentir, car il croit qu'il est ce qu'il fait. Vous n'aimez pas votre enfant pour ce qu'il fait mais pour ce qu'il est. Vous l'aimez inconditionnellement, quoi qu'il fasse.

Ne vous offusquez pas des mensonges

Votre petit Daniel ne vous raconte pas une version modifiée de son avant-midi à la garderie uniquement pour vous exaspérer. Il croit peut-être vraiment que le serpent est sorti de sa cage et il s'agit peut-être d'une façon de vous dire qu'il en a très peur. Écoutez-le et répondez, par exemple : « Quelle histoire intéressante tu me racontes ! Je suis certaine que voir un serpent se promener librement dans la classe serait terrifiant. Veux-tu que je parle à ton professeur afin qu'il s'assure que le serpent ne peut pas sortir de sa cage ? »

ÇA SUFFIT, LES MENSONGES !

Alexis avait à peine quatre ans que ses parents l'avaient déjà étiqueté de «menteur». Chaque jour, au retour de la maternelle, il arrivait avec une nouvelle «histoire». Une fois, il raconta qu'un bandit s'était introduit dans l'école et qu'il avait tenu tout le monde en otage ; une autre fois, il dit que son professeur avait été congédié ; et encore que son ami, Adam, avait emmené son poney à l'école. Ces mensonges à répétition inquiétaient ses parents.

Alexis mentait également sans vergogne à son père, Laurent. Ainsi, après avoir demandé à son fils de lui expliquer pourquoi il y avait du jus renversé sur le plancher de la cuisine, Alexis lui raconta c'était un voleur qui s'était introduit par effraction dans la cuisine qui avait renversé le jus. «Mais, Alexis, comment expliques-tu que le jus qui a été renversé est le même que celui que tu as dans ton verre ? Je n'aime pas que tu me mentes !» Alexis, incapable de répondre, fut puni.

Les parents d'Alexis durent admettre qu'il ne servait à rien d'avoir recours à la punition, car plus ils sévissaient, plus leur petit mentait. Il racontait même des mensonges pour écourter ses punitions ! Ils aimaient leur fils, mais il semblait que ce dernier n'en était pas convaincu. Leur fils n'avait pas à mentir pour les impressionner ou pour éviter d'être puni, mais ils n'étaient pas certains que leur fils, lui, le savait. Lorsqu'ils s'attardèrent à s'imaginer à quoi le monde pouvait ressembler du point de vue de leur fils – un mélange de réalité et de fiction –, ils trouvèrent comment l'aider à reconnaître ce qui est vrai de ce qui ne l'est pas.

Le jour suivant, sa mère l'accueillit dans l'auto après l'école en disant : «Raconte-moi ce qui s'est passé aujourd'hui.»

«La journée a été très intéressante, parce que les joueurs de l'équipe de football sont venus nous visiter et nous ont enseigné à jouer. Josua a été blessé et il a dû être transporté en ambulance à l'hôpital…» Sa mère l'interrompt alors en lui disant: «Eh, bien! Dis donc! Comme cela est intéressant! Tu aurais bien aimé que ta journée se passe comme cela, n'est-ce pas?»

«Ben, oui! Cela aurait été cool!»

«Alexis, ce que tu me racontes là est très amusant, mais je veux savoir ce qui s'est vraiment passé en classe aujourd'hui. Tu n'as pas besoin d'inventer toutes ces choses pour je pense que ta journée était très intéressante. Moi, ce que je veux savoir c'est des choses comme: à côté de qui étais-tu assis à l'heure de la collation; de quoi ton professeur a parlé; tu sais, des choses comme ça. J'ai une idée. Tu aimes inventer des histoires. Alors tu pourrais raconter toutes les histoires que tu veux pendant un moment et ensuite tu me dirais ce qui s'est réellement passé durant la journée. D'accord?»

Alexis prit l'habitude de dire: «Je veux jouer aux histoires inventées!» et de se lancer dans des aventures incroyables qui se passaient à l'école, puis d'éclater de rire avec sa mère.

Puis sa mère répondait: «Maintenant, le jeu de la vérité», et alors Alexis lui racontait tout bonnement sa journée. Ses parents se prirent à apprécier énormément le jeu des histoires, maintenant qu'il était possible de connaître la vérité. Ils avaient toutes les raisons de se féliciter des résultats. Ils avaient atteint un double objectif: ils avaient réussi à donner une leçon d'honnêteté à leur fils et à lui faire comprendre à quel point la vérité était importante à leurs yeux.

LE DÉSORDRE

Les petites personnes font de gros dégâts et, malheureusement pour les parents ordonnés, elles sont presque toujours inconscientes du fouillis qu'elles créent. Sachant que votre enfant n'est pas malpropre, mais simplement inconscient de la nécessité de nettoyer derrière lui, montrez-lui (plus il est jeune, mieux c'est) que les fouillis ne disparaissent pas comme par magie, mais que leur créateur (et ses assistants) doit les réparer. Partagez cette réalité inéluctable de la vie avec votre enfant, mais ne vous attendez pas à ce qu'il suive la règle à la perfection. Encouragez l'ordre sans l'exiger en louant la moindre tentative de votre enfant de jouer au jeu du rangement.

Les mesures préventives

Rangez à mesure
Par exemple, montrez à votre enfant à ranger ses jouets à mesure afin de réduire le capharnaüm qu'il crée en passant d'un jouet à l'autre. Inculquez-lui l'habitude de ramasser tôt dans la vie afin de l'encourager à devenir un enfant plus ordonné et, plus tard, un adulte mieux organisé.

Montrez-lui comment réparer son désordre
Donnez-lui des caisses de la bonne taille et des boîtes où il pourra ranger ses jouets, son argile, etc. Montrez-lui comment placer ses

choses dans les contenants et où ranger ceux-ci quand ils sont pleins afin de vous assurer qu'il n'ignore pas tout simplement ce que vous entendez par ranger un objet ou réparer son désordre.

Soyez aussi précis que possible

Au lieu de prier votre enfant de ranger sa chambre, dites-lui exactement ce qu'il doit ranger : «Mettons les bâtonnets dans le seau et les blocs dans la boîte.» Votre enfant sera ainsi mieux à même de suivre vos instructions.

Fournissez-lui le nécessaire

N'attendez pas de votre enfant qu'il sache d'emblée avec quel matériel nettoyer ses dégâts. Donnez-lui le bon chiffon pour essuyer la table, par exemple, et louez l'ardeur qu'il met à nettoyer.

Confinez ses activités dans un lieu sécuritaire

Assurez-vous que votre enfant joue à ses jeux malpropres (peinture, argile) là où les dégâts porteront moins à conséquence. Ainsi, ne vous attendez pas à ce qu'il sache qu'il ne doit pas souiller la moquette du salon si vous le laissez faire sa peinture à doigts dans cette pièce.

Les solutions

À FAIRE

Appliquez la règle de grand-mère

Si votre enfant refuse de réparer son désordre, assujettissez son plaisir à son obéissance : «Oui, je sais que tu ne veux pas ranger tes blocs, mais quand tu l'auras fait, tu pourras aller jouer dehors.» Rappelez-vous que votre enfant (d'un an et plus) peut participer au rangement même d'une façon limitée et qu'il doit faire de son mieux avec ses capacités en s'habituant petit à petit à des tâches plus difficiles.

Aidez-le à ranger

Le rangement est parfois trop difficile pour les muscles ou les mains d'un enfant. Aidez-le afin de promouvoir le partage et la collaboration, deux leçons que vous voulez inculquer à votre enfant d'âge préscolaire. Le fait de voir papa et maman ranger, par exemple, rend cette activité beaucoup plus invitante et raisonnable.

Jouez à la course contre la montre

Quand il s'agit de battre de vitesse le minuteur, ramasser des jouets cesse aussitôt d'être une corvée pour se transformer en un jeu amusant. Participez au plaisir en disant, par exemple: «Si tu ramasses tes jouets avant la sonnerie du minuteur, tu pourras sortir un autre jouet.» Si votre enfant réussit à battre le minuteur, félicitez-le et tenez votre promesse.

Complimentez tout effort de rangement

Utilisez une motivation puissante pour encourager votre enfant à ranger quand il a fini: l'éloge! Complimentez-le pour le magnifique travail qu'il fait en rangeant ses crayons de couleur: «Je suis très heureux de voir que tu as mis le crayon rouge dans le panier. Merci de m'aider à ranger ta chambre.»

À ÉVITER

Ne visez pas la perfection

Votre enfant n'a eu que quelques milliers de jours pour s'exercer à mettre de l'ordre, aussi ne vous attendez pas à ce qu'il le fasse à la perfection. Ses efforts dans ce sens vous indiquent qu'il apprend ; il s'améliorera avec la pratique et avec le temps.

Ne punissez pas le désordre

Votre enfant ne comprend pas encore la valeur de l'ordre et ne possède pas encore la maturité physique nécessaire pour être ordonné. « Mes parents laissent bien leurs jouets traîner, pourquoi pas moi ? » peut se dire votre enfant en voyant des cendriers, des journaux ou des stylos sur la table à café.

Ne le laissez pas porter ses beaux vêtements s'il risque de se salir

Votre enfant ne connaît pas la valeur des vêtements. Donnez-lui de vieux vêtements à porter sens devant derrière au lieu de vous attendre à ce qu'il garde propres ses vêtements coûteux pendant qu'il peint.

UNE FOULE DE FOUILLIS

Jean et Béatrice Lesieur s'habituaient à tout sauf au capharnaüm que leurs jumelles de cinq ans, Maude et Martine, créaient presque quotidiennement.

« Les gentils enfants rangent toujours leurs jouets », disait leur mère en essayant de les convaincre de ne pas laisser leurs jouets traîner dans le séjour quand elles avaient fini de jouer.

Comme ses efforts étaient vains, elle se mit à corriger ses filles et à les isoler dans leur chambre chaque fois qu'elles refusaient de mettre de l'ordre, ce qui ne semblait punir qu'elle-même, puisque les fillettes créaient un fatras supplémentaire dans leur propre chambre.

La mère entrevit une façon de résoudre son dilemme en voyant à quel point ses filles aimaient utiliser leur nouvelle balançoire. Elle décida de transformer cette activité en privilège qu'il fallait mériter. Un jour que les fillettes voulaient jouer dehors au lieu de ranger les bâtonnets et la cuisine de poupée avec lesquels elles avaient joué, leur mère dit : « Voici la nouvelle règle, mes chéries. Je sais que vous voulez aller jouer dehors, mais vous n'irez qu'après avoir rangé. Maude, tu rangeras ta cuisine de poupée, et Martine, tes bâtonnets. Je vous aiderai. »

Les jumelles se regardèrent d'un air ébahi. Elles ne voulaient rien ramasser du tout, mais elles n'avaient jamais entendu cet ultimatum auparavant. Leur mère commença à ranger les bâtonnets dans leur boîte pour s'assurer que Martine savait au juste ce que « ranger ses bâtonnets » voulait dire. Puis, elle ouvrit le sac afin que Maude puisse y déposer la batterie de cuisine, ne laissant ainsi planer aucun doute sur ce qu'elle entendait par « ranger sa cuisine de poupée ».

Comme les fillettes et leur mère s'activaient ensemble, madame Lesieur ne fit aucun mystère, non plus, de la joie que lui causaient leurs efforts. « Merci de ranger. Martine, tu fais un travail magnifique avec ces bâtonnets et toi, Maude, j'aime la façon dont tu ranges ta batterie de cuisine dans ce minuscule sac », dit-elle en enlaçant chacune de ses filles avec une fierté sincère. Aussitôt après, les jumelles s'élancèrent dehors pendant que leur mère préparait le déjeuner au lieu de ramasser derrière elles.

Pendant des semaines, il fallut offrir un échange aux petites pour qu'elles réparent leur fouillis, mais elles comprirent que ranger un jouet avant d'en prendre un autre accélérait le rangement et attirait de jolis compliments de la part de maman.

LES INSULTES

Nos linguistes en herbe mettent à l'épreuve le pouvoir des insultes afin de faire savoir au monde entier qu'ils sont les maîtres et peuvent dire tout ce qui leur passe par la tête. Sachant que votre enfant mesure la force du mot autant que son effet, montrez-lui que les insultes ne causeront jamais tout le tort qu'il croit. Réagissez-y calmement afin de lui montrer qu'elles n'ont pas autant d'influence qu'il leur prête. En outre, aidez-le à mettre en pratique ce que vous prônez quand il se fait insulter à son tour; il verra que ce petit jeu verbal n'est pas très amusant quand on le joue seul.

Les mesures préventives

Attention aux sobriquets
Évitez de donner à votre enfant des sobriquets que vous ne voudriez pas qu'il donne à d'autres. C'est une chose que d'appeler quelqu'un «ma petite poupée» mais c'en est une autre que de dire «mon petit diable».

Montrez à votre enfant comment réagir aux insultes
Dites-lui comment réagir aux insultes: «Si ton ami t'insulte, dis-lui que tu ne veux plus jouer avec lui.»

Définissez ce qu'est une insulte

Apprenez à votre enfant les mots qu'il ne doit pas employer plutôt que de vous attendre à ce qu'il sache comme par magie les mots «permis» et les mots «interdits».

Les solutions

À FAIRE

Envoyez-le au «temps mort»

Interrompez ses jeux pour un laps de temps précis afin de lui montrer que, quand il se conduit mal, il perd ses chances de jouer: «Je regrette que tu aies prononcé ce mot. Temps mort.»

Usez l'insulte

Une fois usée, une insulte est moins palpitante. Assoyez votre enfant sur une chaise et ordonnez-lui de répéter l'insulte sans arrêt pendant une minute par année d'âge. En cas de refus (des milliers d'enfants indépendants refusent de le faire), obligez-le à demeurer assis tant qu'il n'aura pas obéi, peu importe le temps qu'il faudra.

Remarquez ses mots gentils

Félicitez votre enfant quand il ne dit pas d'insulte, pour lui montrer quel langage vous approuvez et lequel vous désapprouvez.

Soyez conséquent dans vos réactions

Chaque fois que votre enfant profère une insulte, ayez la même réaction afin de lui montrer que vous ne jouerez jamais à ce jeu-là: «Je regrette que tu aies lancé cette insulte. Tu vas devoir aller au temps mort maintenant» ou «Maintenant, tu dois user le mot».

À ÉVITER

Ne lui apprenez pas à insulter les autres

Comme il est très irritant de se faire insulter, il est facile de retourner à l'enfant ses insolences ridicules : «Espèce d'idiot! Tu devrais avoir assez de bon sens pour ne pas dire des insultes.» En parlant ainsi, vous donnez à votre enfant la permission d'employer les mêmes insultes que vous. Canalisez votre colère en lui expliquant pourquoi certaines de ses paroles ou de ses actes vous rendent heureux ou malheureux et dites-lui quoi faire quand l'envie d'insulter quelqu'un lui prend.

Ne punissez pas sévèrement les insultes

Si vous punissez votre enfant, il lancera ses insultes quand vous ne pourrez pas l'entendre. En punissant sévèrement une mauvaise conduite, vous ne faites qu'enseigner à votre enfant à ne pas se faire prendre. Le comportement répréhensible ne disparaît pas; il devient simplement caché.

«CE N'EST PAS GENTIL!»

Maurice et Hélène Gendron demeurèrent interdits la première fois qu'ils entendirent leur précieuse Sarah, âgée de quatre ans et demi, traiter ses amis d'«idiots», d'«imbéciles» et, pire encore, de «crottes de chien». Comme eux-mêmes n'employaient jamais ces termes à la maison, ils se demandaient où leur fille les avait appris, et ils ne savaient vraiment pas à quel saint se vouer.

«N'insulte pas les gens, Sarah, ce n'est pas gentil!» disaient-ils chaque fois que leur fille proférait une insulte, mais sans succès. En fait, Sarah se mit même à injurier ses parents qui, du coup, lui donnèrent la fessée, mais sans résultat aucun.

Enfin, sa mère eut recours à une autre tactique : elle se mit à surveiller les jeux de sa fille plus étroitement pendant la journée et à remarquer les moments où elle se conduisait bien.

«Comme vous vous amusez bien aujourd'hui, mes chéries», souligna-t-elle en voyant que Sarah et Marie, sa cousine, habillaient leurs poupées.

Toutefois, quand Marie voulut emmener la poupée de Sarah faire un tour dans la voiture bleue, Sarah cria : «Idiote, tu sais très bien que c'est ma voiture !»

Sans se départir de son calme, la mère de Sarah informa aussitôt les fillettes qu'elle allait les séparer : «Je suis désolée que tu aies traité ta cousine d'idiote, dit-elle à sa fille. Temps mort.»

Ayant passé quatre minutes (une pour chaque année d'âge) sur la chaise réservée au temps mort, Sarah comprit très vite que sa mère ne plaisantait pas : ses jeux seraient interrompus et elle serait ignorée si elle injuriait quelqu'un. Elle comprit que mieux valait obtenir l'approbation de ses parents et de ses amis, et cessa peu à peu d'insulter les autres.

LE REFUS D'OBÉIR

Dans le cadre de leurs jeux et plaisirs quotidiens, les enfants d'âge préscolaire sont les meilleurs experts qui soient quand il s'agit de mettre à l'épreuve les règles des parents, de vérifier s'ils donneront suite à leurs avertissements, et avec quelle fidélité ils exigeront l'obéissance. Assurez-vous que la recherche de votre enfant sur le fonctionnement du monde des adultes aboutit toujours aux mêmes résultats. Prouvez-lui que vous ne plaisantez pas, de sorte qu'il sera plus tranquille quant à ce qu'il peut attendre des autres adultes. Ce contrôle que vous exercez peut lui apparaître comme une dictature injuste, mais malgré ses protestations, il sera soulagé de voir que vous établissez des limites et des règles pendant qu'il passe de l'univers des petits à celui des grands.

Les mesures préventives

Sachez combien de directives votre enfant peut suivre à la fois

Votre enfant ne peut se rappeler et suivre qu'un certain nombre de directives à la fois. Pour connaître sa limite, donnez-lui une directive simple, puis deux, puis trois. Voici un exemple en comportant trois: «Je t'en prie, ramasse ton livre, mets-le sur la table et viens t'asseoir près de moi.» Si l'enfant les exécute dans le bon ordre, vous saurez qu'il peut retenir trois directives. Sinon, trouvez sa limite et attendez qu'il soit plus vieux pour lui en donner plus. Rappelez-vous de ne jamais dépasser le nombre de directives que votre enfant peut suivre selon son stade de développement.

Laissez votre enfant faire tout ce qu'il est capable de faire sans intervenir
Comme il n'aspire qu'à en faire à sa tête et à avoir une emprise totale sur sa propre vie, votre enfant de deux, trois, quatre ou cinq ans luttera pour pouvoir opérer ses propres choix. Donnez-lui la chance de cultiver ses aptitudes à décider et d'accroître sa confiance en soi. Plus il aura l'impression d'être en charge de la situation, moins il sera porté à refuser qu'on lui donne des directives.

Évitez les règles inutiles
Analysez la pertinence d'une règle avant de l'adopter définitivement. Votre enfant d'âge préscolaire éprouve un grand besoin de liberté afin de se développer et d'acquérir son autonomie, donc accordez-la-lui.

Les solutions

À FAIRE

Donnez des directives simples et claires
Soyez aussi précis que possible avec votre enfant afin de lui faciliter la tâche. Faites des suggestions, mais ne critiquez pas son travail. Dites, par exemple : «S'il te plaît, ramasse tes jouets maintenant et mets-les dans la boîte» plutôt que «Pourquoi ne penses-tu jamais par toi-même à ramasser tes jouets et à les ranger?»

Félicitez-le s'il vous obéit

Récompensez-le en réagissant de manière positive à un travail bien fait. Montrez-lui également ce qu'il doit dire quand il apprécie le travail d'un autre en disant, le cas échéant, «Merci d'avoir fait ce que je t'ai demandé» comme vous le diriez à un ami adulte.

Utilisez le compte à rebours

Fixez comme règle que votre enfant doit commencer une tâche au chiffre cinq, par exemple, pour l'habituer à laisser en plan une activité qu'il aime afin de faire ce que vous lui demandez: «S'il te plaît, ramasse tes jouets maintenant. Cinq, quatre, trois, deux, un.» Le cas échéant, remerciez-le de s'être mis à l'ouvrage si rapidement.

Soulignez ses progrès

Encouragez votre enfant dès ses premiers gestes indiquant qu'il a l'intention de vous obéir: «Je te félicite de t'être levé pour commencer à ramasser tes jouets.»

Appliquez la règle de grand-mère

Si votre enfant est capable de suivre une directive, offrez-lui une récompense en disant: «Quand tu auras ramassé tes livres, tu pourras regarder la télévision» ou «Quand tu te seras lavé les mains, nous déjeunerons».

Apprenez-lui à suivre les directives

Si votre enfant ne vous obéit pas, est-ce parce qu'il ne comprend pas vos demandes ou est-ce parce qu'il refuse d'obéir? Amenez-le à s'exécuter et félicitez-le à toutes les étapes. Si vous soupçonnez qu'il est parfaitement capable d'accomplir sa tâche et qu'il refuse tout simplement de le faire, dites: «Je regrette que tu ne fasses pas ce que je te demande. Il va falloir continuer à s'exercer.» Refaites l'exercice cinq fois avec lui, puis laissez-lui l'occasion de suivre les directives par lui-même. S'il refuse, insistez : «Il faut encore s'exercer. Lorsque tu auras terminé, tu pourras t'amuser avec tes jouets.»

À ÉVITER

Ne cédez pas

Dites-vous : «Je sais que mon enfant ne veut pas faire ce que je dis, mais j'ai plus d'expérience que lui, et je sais ce qui est le mieux pour lui. Je dois le lui montrer en lui donnant des instructions claires afin qu'il puisse éventuellement se débrouiller seul.»

Ne punissez pas votre enfant s'il ne vous obéit pas

En montrant à votre enfant comment accomplir une tâche au lieu de lui montrer à quel point son refus vous met en colère, vous protégez son amour-propre et accordez moins d'attention aux mauvais comportements qu'aux bons.

«FAIS CE QUE JE DIS !»

Le petit Raymond connaissait déjà, à quatre ans, son alphabet et ses chiffres, et pouvait même lire quelques mots dans son livre d'histoires favori. La seule chose qui semblait au-delà de ses capacités était celle à laquelle ses parents tenaient le plus : obéir.

Le jour, sa mère lui faisait des demandes simples comme : «Raymond, je t'en prie, ramasse tes jouets, puis mets ton linge sale dans le panier à linge» ou «Viens t'asseoir ici et mets tes bottes».

Raymond se rendait environ à mi-chemin de la première tâche, puis il semblait perdre le fil de ce qu'on lui avait demandé

---

de faire et partait chercher un camion ou voir ce que son frère faisait.

«Combien de fois dois-je te répéter ce que tu dois faire?» lui cria sa mère un jour où Raymond avait été peu efficace. «Tu ne m'écoutes jamais! Tu ne comprends jamais ce que je te dis!» reprit-elle en lui donnant une «taloche».

Cela continua jusqu'à ce qu'un jour, Raymond lui dise: «J'suis pas capable de faire ce que tu veux!» Sa mère l'entendit et le prit au sérieux. Elle décida de lui donner une seule directive simple pour voir s'il pouvait la suivre. «Mieux vaut qu'il obéisse à une seule demande qu'à aucune», se dit-elle.

«Raymond, apporte-moi tes bottes, je te prie», lui demanda-t-elle simplement. Comme son fils s'élançait vers ses bottes bleues et blanches, sa mère applaudit: «Merci de faire ce que je t'ai demandé, dit-elle. Je suis très contente que tu m'obéisses!»

Elle demanda ensuite à Raymond de mettre son manteau, puis elle le complimenta de nouveau affectueusement quand il s'exécuta.

Elle était ravie de ne plus avoir à menacer ni à crier. En étant à l'écoute de ses sentiments, elle avait compris une chose essentielle à leur bonne entente. Elle augmenta graduellement le nombre de ses directives, lui en donnant deux à la fois avant de passer à trois. Son langage clair et ses promesses («Quand tu auras mis tes bottes, tu pourras jouer dans la neige une minute avant d'aller chez grand-mère.») l'aidèrent à amener doucement son fils à lui obéir.

LE REFUS DE PARTAGER

L'expression «c'est à moi» est le mot de passe qu'utilisent les enfants d'âge préscolaire pour se rappeler (et rappeler aux adultes) que leur monde leur appartient et qu'ils sont assez importants pour jouir de droits territoriaux quand et comme ils le veulent. Malgré les conflits que cette vilaine expression suscite dans tous les foyers où il y a des enfants de moins de cinq ans, la possessivité survivra tant que les enfants ne seront pas prêts à la laisser tomber (entre trois et quatre ans). Assurez la paix de votre foyer en enseignant à votre enfant les règles universelles du partage. Appliquez ces règles à la maison, mais armez-vous de patience. Ne vous attendez pas à ce que votre enfant les suive à la lettre tant qu'il n'aura pas appris à partager de lui-même, signe merveilleux qu'il est prêt à élargir ses horizons.

Les mesures préventives

Assurez-vous que certains jouets sont la propriété exclusive de votre enfant

Avant de pouvoir laisser tomber l'expression «c'est à moi» et ses implications, les enfants d'âge préscolaire doivent avoir l'occasion de posséder des biens. Par exemple, mettez de côté ses jouets favoris ou sa «doudou» afin qu'il n'ait pas à les partager avec les enfants

qui viennent jouer chez vous. Votre enfant aura ainsi un certain territoire exclusif.

Montrez à votre enfant que vous partagez avec vos amis
Montrez-lui qu'il n'est pas le seul au monde à devoir partager ses biens.
À des moments neutres (où il n'est pas question de partage), donnez-
lui des exemples de la façon dont vous et vos amis partagez vos affaires :
«Marie a emprunté mon livre de recettes aujourd'hui», ou «Charles a
emprunté ma tondeuse à gazon».

**Expliquez en quoi consiste le partage
et à quel point vous l'appréciez**
Félicitez votre enfant chaque fois qu'il laisse un tiers regarder ses jouets
ou les lui prête afin de rendre le partage aussi attrayant que possible
à ses yeux : «Je me réjouis de voir que tu partages ton jouet en le prêtant à ton ami pendant une minute.»

Étiquetez certains jouets
Ne confondez surtout pas l'ourson en peluche de votre enfant avec
celui de sa sœur ou de son frère s'ils sont identiques. Inscrivez le nom
de l'enfant sur chaque ourson ou identifiez chacun par un bout de fil
pour que l'enfant sente que tous ses biens n'appartiennent pas aussi
à son frère ou à sa sœur.

Établissez des règles concernant le partage
Avant l'arrivée de ses amis, dites à votre enfant ce que vous attendez
de lui dans les jeux de groupe. Par exemple, enseignez-lui la règle suivante : quand tu déposes un jouet, n'importe qui peut le prendre, mais
quand tu l'as dans la main, tu peux le garder.

**Comprenez que votre enfant partage peut-être
plus facilement lorsqu'il n'est pas chez lui**

Il se peut que votre enfant joue un rôle plus passif quand il ne se trouve
pas sur son territoire et se montre plus possessif et plus agressif quand
il est chez lui.

Rappelez-vous que la capacité de partager vient avec le temps

Apprendre à partager est un accomplissement qu'on ne peut pas forcer.
Les enfants de trois ou quatre ans commencent en général à partager
d'eux-mêmes sans qu'on le leur demande.

Les solutions

À FAIRE

Surveillez les jeux des petits de un et deux ans

Comme on ne peut pas attendre des tout-petits qu'ils partagent, surveillez leurs jeux de près afin de les aider à résoudre les conflits liés
au partage, car ils sont trop jeunes pour les résoudre sans aide.

Réglez le minuteur

Quand deux enfants se chamaillent à cause d'un jouet, montrez-leur
comment partager. Dites à l'un des enfants que vous allez régler le minuteur et que, quand il sonnera, l'autre enfant pourra prendre le jouet.
Utilisez le minuteur tant qu'ils ne se seront pas lassés du jouet (deux
sonneries plus tard, en général).

Envoyez les jouets au «temps mort»

Si un jouet entraîne des conflits parce qu'un enfant refuse de le partager, mettez-le au «temps mort», hors de la portée des enfants.
Ainsi, il ne causera pas d'ennuis: «Ce jouet nous cause des ennuis;

il doit aller au "temps mort".» Si les enfants continuent de se chamailler à son sujet quand vous le leur rendez, confisquez-le de nouveau afin de bien montrer que, s'ils refusent de partager un jouet,
personne ne l'aura.

À ÉVITER

Ne vous mettez pas en colère

Rappelez-vous que votre enfant apprendra les règles du partage quand
il sera prêt, mais pas si vous l'y forcez. Quand votre enfant partagera
de lui-même, vous saurez qu'il a compris sa leçon !

Ne punissez pas votre enfant s'il refuse de partager à l'occasion

Retirez le jouet coupable plutôt que de punir votre enfant s'il lui arrive
occasionnellement de ne pas vouloir partager. Vous placez ainsi le
poids du blâme sur le jouet, plutôt que sur l'enfant.

APPRENDRE LE PARTAGE

Le petit Marc, trois ans, croit que le mot «partager» signifie
qu'il ne peut pas prendre tous les jouets qu'il désire quand son
ami François vient jouer avec lui.

«Tu dois partager tes jouets !» lui dit sa mère après une
autre journée où Marc s'est cramponné au plus grand nombre
de jouets possible en disant «c'est à moi» chaque fois que sa
mère l'enjoignait de les partager.

«Je vais donner tous tes jouets aux enfants pauvres si tu
ne partages pas avec tes amis», menaça sa mère un jour en
corrigeant son fils.

Ce soir-là, après avoir couché Marc, sa mère dit à son mari : «Je crois que Marc ignore comment partager», jetant ainsi une nouvelle lumière sur le problème. Elle et son mari décidèrent tout de go d'enseigner à leur fils le sens précis du partage.

Un jour où Marc attendait l'arrivée de ses deux cousins, sa mère le prit à part et lui dit : «Marc, voici la règle concernant le partage. Tout le monde peut jouer avec n'importe quel jouet tant que personne ne l'a dans les mains. Si Michel, Marie ou toi tenez un jouet, par exemple, personne ne peut vous l'enlever. Chacun ne peut jouer qu'avec un jouet à la fois.» Mère et fils décidèrent ensuite quels jouets Marc ne supportait pas de prêter et ils les mirent de côté afin qu'ils ne causent pas de conflits pendant la visite des cousins.

La mère de Marc fut tendue pendant les quelques heures qui suivirent, mais son fils, lui, semblait plus décontracté. Il commença par prendre un seul jouet et laissa ses cousins choisir les leurs dans le coffre à jouets. «Je suis très fière de te voir partager ainsi tes jouets», lui dit sa mère qui surveillait l'opération.

Comme elle s'éloignait pour préparer le déjeuner, le cri familier «c'est à moi» la ramena dans la salle de jeux. Marie et Marc étaient en train d'écarteler la nouvelle poupée parlante. «Ce jouet nous cause des ennuis, dit la mère de Marc mine de rien, il doit aller au "temps mort"». Les enfants n'en crurent pas leurs yeux quand ils virent la pauvre poupée sur la chaise réservée au «temps mort», l'air aussi piteux qu'un chien indiscipliné. Deux minutes plus tard, la mère rendit la poupée aux enfants, qui l'avaient oubliée et s'amusaient avec des blocs.

Au fil des semaines, les enfants s'amusaient ensemble et les «temps morts» étaient de moins en moins nécessaires pour restaurer la paix, surtout depuis que Marc était plus enclin à laisser «ses» jouets être «leurs» jouets à l'heure du jeu.

LE REFUS DE MANGER

Bien que, de tout temps, les parents aient encouragé leurs enfants d'âge préscolaire à manger, bien des enfants de moins de six ans sont encore trop occupés à explorer leur univers pour consacrer beaucoup de temps à la mastication. Résistez à la tentation presque innée en vous de nourrir votre enfant de force. accordez plus d'attention à ce qu'il mange (même un petit pois!) qu'à ce qu'il ne mange pas. Ne confondez pas un refus de manger occasionnel avec une maladie. Demandez l'aide d'un professionnel si votre enfant est malade et incapable de manger.

Les mesures préventives

Ne sautez pas de repas vous-même

En sautant des repas, vous donnez à votre enfant l'impression qu'il peut ne pas manger puisque vous ne mangez pas vous-même.

Évitez d'insister sur son ventre rebondi
ou d'idolâtrer sa maigre silhouette

Même un enfant de trois ans peut commencer à se soucier de son poids si vous lui inculquez l'obsession des kilos superflus.

Connaissez les besoins alimentaires de votre enfant

Le rythme de la croissance, le degré d'activité et la taille déterminent la quantité de nourriture – tirée des cinq groupes d'aliments proposés par le *Guide alimentaire canadien* (*voir Bibliographie, page 248*) – dont un enfant a besoin quotidiennement. Consultez le médecin de votre enfant qui répondra à vos questions relativement à ses besoins nutritifs particuliers. Pour plus de renseignements au sujet des aliments recommandés pour les tout-petits, consultez entre autres la section «Enfant en santé» du *Guide alimentaire canadien* pour le Canada et, pour la France, le Programme national nutrition santé (*voir «Bibliographie», page 250*)

Les solutions

À FAIRE

Encouragez votre enfant à manger moins, mais plus souvent

Comme son estomac est plus petit que le vôtre, il ne peut contenir suffisamment de nourriture pour le soutenir pendant trois à quatre heures entre les repas. Laissez votre enfant manger aussi souvent qu'il le désire, pourvu que ce soient des aliments sains. Dites-lui, par exemple : «Si tu as faim, dis-le-moi, et je te donnerai du céleri ou une pomme avec du fromage.» Assurez-vous de pouvoir concrétiser ces suggestions en vérifiant ce que vous avez à la maison et l'heure du prochain repas.

Laissez votre enfant choisir ses aliments

À l'occasion, laissez votre enfant choisir (sous votre surveillance) sa collation ou le menu de son déjeuner. S'il a l'impression d'exercer un certain contrôle sur ce qu'il mange, il sera peut-être plus emballé par la nourriture. Complimentez-le sur ses choix judicieux (limitez-les à deux afin qu'il ne soit pas dépassé par le processus de décision) : «Je me réjouis de voir que tu as choisi une orange ; c'est une délicieuse collation.»

Offrez-lui une alimentation variée et équilibrée

Les enfants doivent apprendre à bien se nourrir. Enseignez-le au vôtre en lui proposant des mets nourrissants dans une vaste gamme de goûts, de textures, de couleurs et de parfums. N'oubliez pas que les enfants de cet âge ont des goûts très instables et attendez-vous à ce que le vôtre refuse aujourd'hui un mets dont il raffolait hier.

Laissez la nature suivre son cours

Au cours d'une semaine, un enfant normal et sain choisira naturellement des aliments équilibrés qui, de l'avis des pédiatres, le nourriront de façon adéquate. Remarquez ce que votre enfant mange du lundi au dimanche (pas du lever au coucher du soleil) avant de craindre qu'il ne soit sous-alimenté.

Encouragez-le

Encouragez votre enfant quand il avale une bouchée pour lui montrer que manger lui procurera autant d'attention que ne pas manger. Félicitez-le de ses bonnes habitudes alimentaires en disant : « Je suis content de voir que tu as pris une bouchée de pain de viande tout seul » ou « Je suis contente que tu aimes les petits pains que nous avons aujourd'hui ».

Exigez que votre enfant s'attable à l'heure des repas

Comme ils n'ont pas faim en même temps que nous, les enfants veulent souvent jouer dehors ou terminer leur construction à l'heure des repas. Vous devrez peut-être habituer le vôtre à suivre votre horaire, du moins quand vient le temps de s'attabler. Vous y arriverez non pas en forçant votre enfant à avaler une grande quantité de nourriture, mais en réglant un minuteur pour tout le temps qu'il doit passer à table, qu'il mange ou non. Dites : « Le minuteur sonnera quand le dîner sera terminé. Tu dois rester à table jusqu'à ce qu'il sonne. Préviens-moi quand tu auras fini et j'enlèverai ton assiette.» Les enfants de moins de trois ans, dont la concentration est moins grande, ne peuvent rester à table aussi longtemps que les enfants de quatre ou cinq ans. Surveillez les moments où votre enfant semble avoir faim afin de connaître son rythme et de le respecter, si possible.

À ÉVITER

N'offrez pas systématiquement de friandises en récompense après un bon repas

Gardez le sens des proportions face à la nourriture, qui vise à nourrir, non à symboliser des éloges : «Puisque tu as si gentiment mangé tes haricots verts, tu pourras jouer dehors après le dîner.»

Évitez d'offrir une récompense ou de supplier

Si votre enfant refuse de manger, ne lui offrez pas de récompense pour l'y inciter et ne le suppliez pas non plus. Son refus deviendrait alors un jeu destiné à obtenir votre attention et lui donnerait l'impression de vous dominer.

Ne soyez pas contrarié par son refus de manger

Si vous donnez de l'attention à votre enfant parce qu'il ne mange pas, il est alors beaucoup plus avantageux pour lui de refuser de manger que d'accepter de le faire.

Ne forcez pas la note

Évitez d'accorder une importance excessive aux habitudes alimentaires de votre enfant afin que la nourriture ne devienne pas un terrain propice aux luttes de pouvoir.

«NON JE NE VEUX PAS MANGER!»

Quand Jeannot eut quatre ans, il perdit tout appétit. Ses parents ignoraient la cause de cette transformation, de même que le pédiatre qui lui fit subir un examen médical sur les instances de sa mère, que cette situation énervait.

Un soir que le père suppliait son fils de manger «juste un petit pois», Jeannot piqua une violente colère, jeta son assiette par terre et cria: «Non! je ne veux pas manger!»

Le père décida alors qu'il avait laissé les choses trop longtemps aux mains de sa femme. «Écoute-moi bien, petit. Si tu ne manges pas tes macaronis, tu sortiras de table», menaça-t-il en énonçant fermement la règle du moment. Il était loin de se douter que son fils ne se le ferait pas dire deux fois et sauterait aussitôt au bas de sa chaise.

«Jeannot Roland, tu ne sortiras pas de table tant que tu n'auras pas mangé ton dîner, même si tu dois y passer la nuit!» déclara son père, qui modifia ainsi la règle et dérouta son fils tout à fait. Plus tard ce soir-là, après avoir couché et bordé leur fils, les Roland décidèrent que cela ne pouvait pas durer: ils en étaient rendus au point de frapper leur petit garçon et de crier. Ils voulaient que les repas redeviennent ce qu'ils étaient: un moment pour manger, pour échanger des histoires amusantes et des chansons, et se raconter les événements de la journée.

Le lendemain soir au dîner, ses parents ne firent nullement attention à la nourriture ni au manque d'appétit de leur fils. «Raconte-moi ce que tu as fait à la garderie aujourd'hui», dit sa mère avec toute la sincérité et le calme dont elle était capable tout en passant le brocoli à son mari. Jeannot s'illumina en racontant qu'il avait été choisi pour tenir le drapeau, et il se trouva qu'il avala une bouchée de pommes mousseline entre deux explications enthousiastes.

«C'est très gentil à toi d'avoir été aussi serviable aujourd'hui», complimenta sa mère. «Et je suis contente de voir que tu aimes les pommes mousseline», ajouta-t-elle. Les Roland continuèrent de manger tout en se gardant bien d'insister pour que leur petit reprenne quelques bouchées de pommes de terre.

Le lendemain matin, ils parlèrent de leur succès de la veille, et décidèrent de poursuivre dans la même veine et de mettre en pratique la suggestion du médecin. «Si l'on en juge par sa taille normale mais mince, avait dit le médecin, Jeannot ne peut peut-être qu'avaler de petites quantités à la fois, mais il pourrait manger plusieurs fois par jour comme bien des gens.» C'est ainsi que l'heure du dîner cessa de préoccuper la mère de Jeannot, qui se mit à fabriquer d'amusants bateaux avec des bâtonnets de carottes et des visages faits de fromage et de raisins secs pour les collations de son fils; celui-ci s'habitua à manger davantage pendant la journée, même s'il continuait d'avaler son dîner en quelques minutes. Mais les parents de Jeannot appréciaient les moments que leur enfant consacrait à la nourriture, et laissaient leur fils décider s'il avait faim ou non.

LA BOULIMIE

Bien des enfants de moins de six ans ont un appétit aussi vorace que celui du célèbre Cookie Monster de la télévision. À l'instar de ce personnage, votre enfant ne sait pas pourquoi il veut plus de nourriture que nécessaire. Mais il vous faut le savoir afin de le remettre sur la bonne piste. Parce que la voracité est un symptôme et non un problème, cherchez les raisons qui se cachent derrière l'appétit insatiable de votre enfant. Par exemple, voyez s'il dévore par habitude, par ennui, par imitation ou par besoin d'attention. Aidez-le à satisfaire ses besoins sans passer par la nourriture.

Sollicitez l'aide d'un professionnel si votre enfant fait constamment des excès alimentaires. Évitez les régimes sans surveillance médicale.

Les mesures préventives

Adoptez une attitude saine face à la nourriture

Les habitudes alimentaires des parents influencent énormément celles des enfants. Si vous vous plaignez constamment au sujet de votre poids ou de votre régime amaigrissant, par exemple, vous apprenez à votre enfant que la nourriture ne sert pas seulement à lui assurer une bonne santé. La nourriture devient un ennemi qui l'amène à perdre le contrôle de lui-même et à dévorer, par exemple, un gâteau au chocolat en entier.

La modération constitue la clé de la santé, aussi modérez vos paroles, de même que vos attitudes. Les troubles de l'alimentation se sont multipliés chez les enfants, en grande partie à cause de l'obsession de la minceur qui prévaut dans notre culture.

Connaissez les besoins de votre enfant

Le rythme de la croissance, le niveau d'activité et la taille déterminent la quantité de nourriture dont un enfant a besoin quotidiennement. Consultez le médecin de votre enfant qui répondra à vos questions relativement à ses besoins nutritifs particuliers. Pour plus de renseignements au sujet des aliments recommandés pour les tout-petits, consultez le *Guide alimentaire canadien* ou, en France, le Programme national nutrition santé[1].

Servez-lui des aliments sains

Gardez les aliments riches en calories vides hors de la portée de votre petit glouton afin de ne pas le tenter.

Surveillez son alimentation

Comme votre enfant est trop immature pour décider ce qu'il peut et ne peut pas manger, il vous appartient de lui inculquer de saines ha-bitudes alimentaires le plus tôt possible. Remplacez les aliments riches en gras et en sucres par des aliments riches en protéines, en vitamines et en minéraux afin de diminuer la quantité de calories absorbées dans une journée.

---

1. Pour de plus amples renseignements, veuillez consulter la Bibliographie sous les rubriques «Santé Canada» et «France».

Expliquez-lui quand, comment et où il peut manger
Limitez la consommation de nourriture à la cuisine et à la salle à dîner. Invitez votre enfant à manger lentement et insistez pour qu'il mange ses aliments dans une assiette ou un bol plutôt que les prendre directement du réfrigérateur. Il est prouvé qu'en faisant une pause entre chaque bouchée, on permet à la sensation de satiété de parvenir au cerveau avant d'avoir mangé plus que nécessaire (ce processus prend vingt minutes).

Les solutions

À FAIRE

Proposez des activités agréables autres que manger
Découvrez ce que votre enfant aime faire à part manger et proposez-lui ces activités quand vous savez qu'il a mangé à sa faim. Montrez-lui qu'il existe des activités «délectables» autres que manger.

Gardez la nourriture dans son contexte
N'offrez pas toujours de la nourriture comme récompense ou comme cadeau afin de ne pas montrer à votre enfant que la nourriture sert à autre chose qu'à satisfaire la faim.

Offrez-lui des collations nutritives
Une bonne collation entre les repas calmera la faim de votre enfant. Ainsi, il arrivera aux repas moins affamé et sera moins porté à s'empiffrer.

Surveillez les moments où votre enfant fait des excès
Cherchez les raisons de la gloutonnerie de votre enfant en remarquant s'il se tourne vers la nourriture quand il s'ennuie, qu'il voit les autres

s'empiffrer qu'il est en colère ou triste, qu'il recherche votre attention, ou s'il le fait simplement par habitude. Aidez-le à extérioriser ses sentiments en en parlant ou en jouant plutôt qu'en mangeant. Parlez avec lui de ses difficultés afin qu'il ne cherche pas à les résoudre en ouvrant la porte du réfrigérateur.

Contrôlez vos propres habitudes alimentaires
Si les parents mangent des aliments à calories vides toute la journée, les enfants auront l'impression qu'ils peuvent faire pareil.

Félicitez votre enfant quand il choisit des aliments sains
Vous pouvez déterminer les préférences de votre enfant simplement par le ton de votre voix et en l'encourageant à manger les aliments que vous voulez le voir privilégier. Chaque fois que votre enfant prend une orange au lieu d'une tablette de chocolat pour sa collation, dites : « C'est un très bon choix que tu as fait pour ta collation. Je suis content de voir que tu prends soin de toi en prenant une collation aussi délicieuse qu'une orange. »

Encouragez votre enfant à faire de l'exercice
Souvent, les enfants obèses ne mangent pas plus que les autres, mais ils ne brûlent pas assez de calories. En hiver, proposez à votre petit des jeux comme la danse ou le saut à la corde. En été, la natation, la marche, le base-ball et la bicyclette sont non seulement excellents pour le développement physique de votre enfant, mais ils soulagent également la tension, lui font prendre l'air et renforcent sa coordination et sa force. Votre participation aux exercices, quels qu'ils soient, leur conférera une allure de jeu plutôt que de travail exténuant.

Communiquez avec votre enfant

Assurez-vous que vous ne faites pas qu'encourager votre enfant à manger tous ses petits pois. Complimentez-le sur ses dessins, sur son choix de vêtements, sur le fait qu'il a rangé ses jouets, sur son adresse à laver son assiette afin de lui montrer qu'il reçoit de l'attention pour des choses autres que sa façon de s'alimenter.

À ÉVITER

Ne cédez pas à ses désirs

Ce n'est pas parce que votre enfant veut encore manger qu'il en a besoin, mais évitez de le culpabiliser et de le ridiculiser. Consultez plutôt le médecin de votre enfant, qui vous aidera à déterminer ses besoins nutritifs, et utilisez le *Guide alimentaire canadien*[1] afin de composer un menu sain. Lorsque vous savez que votre enfant a suffisamment mangé, expliquez-lui brièvement pourquoi il devrait s'abstenir, car il est trop jeune pour s'en souvenir. Expliquez-lui brièvement pourquoi il ne doit pas manger davantage car il est trop petit pour se raisonner lui-même.

Ne lui donnez pas des friandises uniquement quand il est triste

Votre enfant risque de faire de mauvaises associations avec la nourriture si vous lui en offrez constamment pour soulager sa peine.

Ne lui permettez pas de manger chaque fois qu'il regarde la télé

Comme la publicité télévisée bombarde votre enfant de messages sur la nourriture, aidez-le à ne pas penser uniquement à la nourriture en limitant ses heures d'écoute.

---

1. *Ibid.*

Ne lui donnez pas d'aliments peu nutritifs comme collation

Les aliments permis pour la collation et les repas sont ceux que votre enfant attend de vous. Les préférences alimentaires sont souvent des habitudes acquises et non innées.

Ne vous moquez pas de votre enfant s'il est obèse

Vous ne feriez qu'aggraver son problème en renforçant son sentiment de culpabilité et sa honte.

«J'AI DIT : "C'EST ASSEZ !"»

À deux ans et demi, la petite Audrey avait la réputation, tant à la maternelle qu'à la maison, d'être un «puits sans fond». Elle mangeait toute la nourriture qui lui tombait sous la dent et ne semblait jamais repue.

«Non, tu n'auras pas un autre biscuit, Audrey», criait sa mère chaque fois qu'elle l'attrapait la main dans la jarre à biscuits. «Tu en as assez mangé pour le restant de tes jours!» ajouta-t-elle un jour. Mais ni les crises de colère ni la menace de lui enlever son tricycle ne semblaient diminuer l'appétit vorace d'Audrey.

En consultant son pédiatre, la mère d'Audrey apprit comment modifier les habitudes alimentaires de sa fille. Sa fille rede-manda du gruau après que le médecin eut donné à sa mère un régime et des recettes. Sa mère pouvait désormais lui ré-pondre calmement et avec respect : «Je suis heureuse que tu aimes le gruau, Audrey. Tu en auras d'autre demain matin. Allons lire ton nouveau livre, maintenant.» Sachant que la quantité qu'elle avait donnée à sa fille était suffisante, la mère d'Audrey pouvait plus facilement lui tenir tête quand celle-ci

---

lui demandait une autre portion de son mets préféré. En outre, elle pouvait planifier ses repas plus facilement puisqu'elle savait qu'elle privait simplement sa fille d'un aliment qu'elle voulait, mais dont elle n'avait pas besoin.

Le mois suivant, comme ses parents ne lui avaient pas accordé une quantité illimitée de biscuits, Audrey essaya de nouveaux aliments colorés et nutritifs dont elle pouvait se rassasier. «Je suis contente que tu aies choisi une orange pour ta collation», dit sa mère, qui comprit qu'elle devait complimenter sa fille chaque fois qu'elle opterait pour un aliment sain.

Audrey se fit moins souvent traiter de «puits sans fond», et elle reçut davantage de câlins et de compliments quand elle mangeait des fruits plutôt que des bonbons, ce qui l'encourageait à manger des aliments sains pour la première fois de sa vie. Non seulement ses parents étaient-ils ravis de partager des exercices et des jeux avec elle, mais ses amis et ses professeurs la trouvaient plus agréable à vivre.

L'ENFANT QUI DIT TOUJOURS NON

« Non » est sans doute le mot le plus populaire chez les enfants de un à trois ans, parce qu'il est aussi le plus populaire chez leurs parents. Les bambins ont la réputation de toucher à tout et de mettre leur nez partout, de sorte que les parents ont celle de dire « Non ! Ne touche pas à ça ! », « Non ! Ne fais pas ça ! » Curieux de voir s'ils peuvent contrôler les événements et les gens, les bambins de deux et trois ans lancent aussitôt un « non » tonitruant quand on leur pose une question exigeant un oui ou un non. Évitez ce type de question afin de limiter les occasions qu'a votre enfant de dire non, et ne le prenez pas au mot s'il oppose un refus à toutes vos requêtes.

Les mesures préventives

Apprenez à connaître de votre enfant
Si vous êtes familier avec les besoins et les désirs de votre enfant, vous saurez quand « non » veut dire « oui » et quand il signifie vraiment « non ».

Réfléchissez avant de dire « non »
Évitez de dire « non » à votre enfant si cela n'est pas absolument nécessaire à vos yeux.

Limitez les questions exigeant un oui ou un non

Ne posez pas de questions susceptibles d'entraîner un non. Demandez à votre enfant quelle quantité de jus il veut, par exemple, et non s'il veut du jus. Si vous voulez qu'il monte dans la voiture, ne dites pas : «Veux-tu monter dans la voiture ?» mais bien «Nous montons dans la voiture maintenant» et faites-le !

Formulez vos refus différemment

Par exemple, dites «stop» plutôt que «non» quand votre enfant commet une action interdite comme de toucher aux plantes.

Amenez votre enfant à cesser un comportement en y substituant un autre

Comme votre «non» vise habituellement à faire cesser un comportement, proposez un comportement de rechange à votre enfant. À un moment neutre, prenez votre enfant par la main, dites : «Viens ici, s'il te plaît !» et attirez-le vers vous. Enlacez-le et dites : «Merci d'être venu». Répétez cet exercice cinq fois par jour en augmentant petit à petit la distance entre votre enfant et vous jusqu'à ce qu'il vienne à vous quand vous l'appelez de l'autre extrémité de la pièce ou du magasin.

Les solutions

À FAIRE

Faites comme s'il disait «oui»

Voyez le bon côté des choses et supposez qu'au fond, il veut dire «oui». S'il ne veut vraiment pas le jus qu'il vient de refuser, par exemple, il ne le boira pas. Vous saurez très vite s'il est sérieux ou non quand il dit «non».

Accordez plus d'attention au oui qu'au non

Votre enfant apprendra très vite à dire oui si le fait d'acquiescer d'un signe de tête ou de dire «oui» vous fait sourire et attire vos compliments. Réagissez positivement en disant quelque chose comme: «Que c'est gentil d'avoir dit "oui"» ou «Je suis vraiment content que tu aies répondu "oui" à ta tante».

Montrez-lui à dire «oui»

Les enfants de plus de trois ans peuvent apprendre à dire oui si on le leur montre d'une façon méthodique. Essayez ceci: dites à votre enfant que vous voulez l'entendre dire «oui». Puis, complimentez-le avec des phrases comme: «Que c'est agréable de t'entendre dire "oui"» ou «J'apprécie que tu dises "oui"». Puis, ajoutez: «Je vais te demander un service, et je veux que tu dises "oui" avant que j'aie compté jusqu'à cinq.» S'il obtempère, félicitez-le pour son magnifique «oui». Répétez cet exercice cinq fois par jour pendant cinq jours, et vous aurez un enfant beaucoup plus positif.

Laissez votre enfant dire «non»

Même s'il doit faire ce que vous lui demandez, votre enfant a le droit de dire «non». Quand vous voulez qu'il fasse quelque chose, mais qu'il refuse, expliquez-lui la situation: «Je sais que tu ne veux pas ramasser tes crayons de couleur, mais quand tu auras fait ce que je t'ai demandé, tu pourras faire ce que tu veux.» De cette façon, votre enfant sait que vous l'avez entendu exprimer ses sentiments et que vous les prenez en considération, mais qu'il doit néanmoins se plier à votre demande.

À ÉVITER

Évitez de rire ou d'encourager votre enfant à dire «non»

En riant ou en attirant l'attention sur le fait que votre enfant dit souvent «non», vous ne ferez que l'encourager dans cette voie dans l'espoir de susciter cette réaction chez vous.

Ne vous mettez pas en colère

Rappelez-vous que l'étape du non est normale chez un enfant d'âge préscolaire et qu'elle passera rapidement. En vous mettant en colère, vous donnez à l'enfant de l'attention parce qu'il dit «non», et l'attention et le pouvoir sont justement ce qu'il recherche.

NORBERT LE NÉGATIF

Le mot préféré de Norbert, qui avait vingt mois, était celui que ses parents aimaient le moins entendre : «non». Or, comme le petit Norbert répondait «non» à toutes les questions qu'on lui posait, ses parents se mirent à douter de ses capacités mentales. «Ne peux-tu pas dire autre chose que "non"?» lui demandaient-ils. «Non», répondait le petit.

Par conséquent, ses parents tentèrent de réduire le nombre de fois où ils prononçaient eux-mêmes ce vocable pour voir si cela aurait une incidence sur le vocabulaire de leur fils. Ainsi, au lieu de dire : «Non, pas maintenant» quand Norbert demandait un biscuit, ils répondaient : «Oui, tu auras un biscuit à la fin du repas.»

Même si, au fond, ils disaient toujours «non», Norbert ne réagissait pas d'une manière négative à leur réponse : il mettait la parole de ses parents à l'épreuve et obtenait son biscuit aussitôt son repas terminé.

Plus ses parents substituaient des «oui» à leurs «non», plus Norbert disait «oui», ce qui lui valait aussitôt des sourires, des câlins et des félicitations de la part de ses parents ravis. «Merci d'avoir dit «oui» quand je t'ai demandé si tu voulais prendre un bain», lui disait sa mère. Ils étaient enchantés de voir que les «non» de leur fils diminuaient proportionnellement à la quantité de félicitations qu'il recevait pour ses «oui».

Les Gardner tentèrent également de limiter le nombre de questions se répondant par «oui» ou par «non» qu'ils posaient à Norbert. Au lieu de lui demander s'il voulait boire quelque chose en mangeant, ils disaient: «Veux-tu du jus de pomme ou du lait?» et Norbert était tout heureux de faire son choix. Leurs efforts constituaient des moyens faciles de maîtriser le négativisme de leur fils, et l'atmosphère de la maison devint bientôt plus positive.

L'ENFANT QUI JOUE
AVEC LA NOURRITURE

Prenez un bambin de un, deux ou trois ans, ajoutez des aliments qu'il ne veut pas manger, et les parents se retrouvent avec un dégât sur leurs mains, sur celles de l'enfant et, indubitablement, sur le plancher et la table également. Quand votre enfant ne porte pas ses aliments à sa bouche, mais se met à les tripoter, cela vous indique qu'il a mangé à sa faim, qu'il soit en mesure de vous le dire ou non. Retirez-lui toujours ses aliments dès que ceux-ci se transforment en arme ou en boulettes, pour lui montrer que la nourriture est faite pour être mangée et non pour jouer.

Les mesures préventives

Ne jouez pas avec vos aliments
Si vous retournez vos petits pois avec votre fourchette, même inconsciemment, votre enfant supposera qu'il peut faire de même.

Servez-lui au moins un aliment qu'il aime à chaque repas
Coupez-les en petits morceaux faciles à manger. Afin de minimiser le travail qu'il devra effectuer avant de porter ses aliments à sa bouche, coupez sa nourriture et beurrez son pain avant de lui donner son assiette.

Ne mettez pas les plats sur la table
Évitez aux enfants d'âge préscolaire la tentation de brasser et de verser pour le simple plaisir de la chose.

Enseignez à votre enfant les règles de la politesse à table
Votre enfant doit savoir ce que vous attendez de lui au restaurant et à la maison, car les bonnes manières ne sont pas innées. Organisez souvent de petites réceptions au cours desquelles vous lui montrerez comment se servir de sa cuiller, garder la nourriture sur la table, ne pas y toucher avec les doigts, vous dire quand il a fini. Par exemple, dites à votre enfant de moins de deux ans : «Dis : «J'ai fini" et tu pourras sortir de table et aller jouer.» À votre enfant de trois, quatre ou cinq ans, dites : «Quand tu entendras la sonnerie du minuteur, tu pourras quitter la table. Préviens-moi quand tu auras terminé, et j'enlèverai ton assiette.»

Parlez à votre enfant à table
Si vous conversez avec lui, il ne cherchera pas d'autres façons d'attirer votre attention, comme de tripoter sa nourriture.

Les solutions

À FAIRE

Complimentez votre enfant pour ses bonnes habitudes à table
Chaque fois que votre enfant ne joue pas avec sa nourriture, dites-lui combien vous appréciez qu'il mange bien afin de lui faire comprendre que sa bonne conduite sera récompensée : «Je me réjouis de voir que tu te sers de ta fourchette pour manger tes petits pois» ou «J'apprécie que tu enroules tes spaghettis sur ta fourchette comme je t'ai montré.»

Faites en sorte que tripoter la nourriture n'ait aucun attrait

Si votre enfant transgresse une règle dont vous avez parlé ensemble auparavant, annoncez-lui les conséquences afin de lui prouver que tripoter sa nourriture le privera de moments agréables : « Je regrette de voir que tu as mis tes doigts dans tes pommes mousseline. Maintenant que le dîner est terminé, tu devras nettoyer ton dégât. »

Demandez à votre enfant s'il a terminé quand il commence à jouer avec sa nourriture

Ne présumez pas d'emblée que votre enfant cherche à vous provoquer. Demandez-lui pourquoi il dissèque son pain de viande afin de lui donner une chance de s'expliquer (s'il parle).

À ÉVITER

Ne perdez pas patience

Même si vous êtes fâché contre votre enfant parce qu'il fait du gaspillage en jouant avec sa nourriture, votre colère peut être le sel que recherche votre enfant pour son repas. Les tout-petits adorent faire réagir les autres (pour le meilleur ou pour le pire). Ne laissez pas le vôtre attirer l'attention en jouant avec sa nourriture. Par contre, faites semblant d'ignorer tout tripotage anodin que vous vous sentez capable d'accepter à table.

Ne cédez pas

Votre enfant doit assumer les conséquences de ses gestes, même s'il proteste bruyamment. Montrez à votre enfant que vous ne plaisantez pas quand vous concluez une entente avec lui.

DES DÎNERS CATASTROPHIQUES

Les repas chez les Gagnon ressemblaient davantage à un atelier de dessin qu'à des repas, car le petit Nicolas, âgé de trois ans, avait pris la détestable habitude d'étaler sa nourriture autour de son assiette et de recracher ce qui n'avait pas l'heur de chatouiller agréablement ses papilles gustatives.

Exaspérés par ce gaspillage, ses parents tentaient d'y mettre un frein en criant : «Ne joue pas avec tes aliments!», chaque fois que Nicolas décidait de rigoler un peu. Même après que sa mère eut proféré la mise en garde suivante : «Si tu continues de jouer avec tes petits pois, tu sortiras de table», Nicolas tenta de catapulter un autre petit pois dans son verre de lait.

Les fessées ne produisaient aucun résultat. Nicolas prenait tout simplement quelques bouchées de plus avant d'offrir son ragoût aux plantes avoisinantes.

Les Gagnon tentèrent donc de deviner à quel moment précis Nicolas était repu, puis ils lui ôtaient son assiette dès que ses yeux et ses mains découvraient de nouveaux usages pour les pommes frites et les haricots verts. La mère de Nicolas prenait aussi quelques minutes chaque jour pour enseigner à son fils les mots : «J'ai fini» grâce auxquels il pourrait indiquer qu'il avait terminé son repas.

Les parents de Nicolas étaient soulagés de voir que trois semaines s'étaient écoulées sans que Nicolas ne s'adonne à ses prouesses alimentaires quand ce dernier se mit à enduire la nappe de maïs en crème. Or ils avaient établi une règle pour les «cafouillages» qu'ils expliquèrent calmement à leur fils.

«Maintenant que tu as fait ce gâchis, tu dois le nettoyer», lui annoncèrent-ils avant de lui montrer comment procéder.

Nicolas ne reçut aucune attention pendant qu'il nettoyait son dégât tout seul, et il ne fallut que trois rechutes pour qu'il commence à dire «J'ai fini» au lieu de créer une zone sinistrée autour de lui. Ces mots étaient magiques, découvrit-il, car ils lui valaient des câlins et des baisers de ses parents qui disaient: «Merci d'avoir dit: "J'ai fini", Nicolas. Comme tu as fini de manger, tu peux aller jouer avec tes camions pendant que nous terminons notre repas.»

La famille tout entière semblait soulagée. Ses parents passaient plus de temps à parler de la bonne conduite de Nicolas à table que de son gaspillage éhonté. Les repas en sa compagnie étaient plus courts mais plus agréables que jamais auparavant.

L'UTILISATION D'ARMES JOUETS

Plusieurs parents se plaignent que leur enfant transforme tout en arme, que ce soit une batte de base-ball ou une carotte, et qu'il a tendance à imiter ce qu'il voit à la télévision (les garçons sont davantage influencés par le contenu violent des émissions télévisées que les filles)[1]. Les tout-petits ne comprennent pas l'information de la même manière que les adultes et sont incapables d'évaluer correctement ce qu'ils voient.

Une étude a révélé que les enfants d'âge préscolaire à qui on avait offert des armes jouets et autres jouets violents étaient *plus* agressifs que ceux qui regardaient uniquement des émissions de télévision à contenu violent[2]. Des recherches ont également révélé que, dès l'âge de trois ans, les enfants sont influencés autant par le héros de leur émission favorite que par une personne de leur entourage[3]. Les résultats d'études sur les effets de la violence à la télévision convergent : les enfants apprennent de nouvelles façons de se battre et croient que la violence paie.

---

1. M. M., Lefkowitz, L.D. Eron, L. D. Walder et L. R. Huesmann. *Growing Up to Be Violent,* Permagon Press, 1977.
2. R. A., Potts, R., Houston et J. C. Wright. «The Effects of Television for and Violent Cont on Boys' Attention and Social Behavior « *Journal of Experimental Child Psychology,* n° 41, 1986, p. 1-17.
3. R. B., McCall, R. D. Parke, et R. D. Kavanaugh. «Imitation of Live and Televised Models by children One to Three Years of Age.» *Monograph of the Society for Research in Child Development,* n° 42, Série n° 173, 1977.

Le tout-petit qui voit ses héros favoris obtenir ce qu'ils veulent par la violence est plus susceptible que les autres de les imiter. De plus, les parents qui ignorent ou approuvent la violence de leur progéniture, ou qui y ont recours eux-mêmes, servent de modèles à leurs enfants. Par contre, l'enfant qui apprend à trouver des solutions non-violentes et que l'on félicite lorsqu'il agit de telle manière maîtrise mieux son agressivité.

Il n'y a pas lieu de faire un drame du fait que votre enfant se sert d'une frite comme d'un fusil, mais il ne faut pas l'ignorer non plus. Apprenez-lui plutôt que même lorsqu'on fait semblant de blesser les gens on heurte leurs sentiments. Souvenez-vous que les agissements de l'entourage de votre enfant l'encouragent à devenir bon ou cruel. Surveillez votre façon de parler et d'agir – avez-vous tendance à exploser? – afin de diminuer l'attirance de votre enfant pour les jeux violents.

Les mesures préventives

Faites de la bienveillance une règle de vie

Vous devriez établir ce qui est permis et ce qui ne l'est pas relativement à l'usage violent d'un jouet. Par exemple, vous pouvez dire à votre bambin agressif: «La règle est que l'on traite les autres avec respect afin qu'ils sachent qu'on se soucie de leur bien-être. Lorsqu'on pointe une arme jouet sur les gens, même si c'est pour faire semblant, on leur fait peur et on les peine.»

Réfléchissez avant d'ouvrir la bouche

Utilisez des mots et un ton de voix que vous accepteriez que votre enfant reproduise. Par exemple, lorsque votre enfant désobéit, au lieu de le menacer (même en plaisantant), dites calmement: «C'est dommage que tu ne respectes pas la règle et que tu vises les autres avec une arme jouet. Tu sais que la règle est que l'on traite les autres gentiment et qu'on ne menace personne, même pas pour faire semblant.»

Donnez-lui l'exemple de la bonté

Vous êtes l'idole votre enfant et il ne fait aucun doute qu'il vous imitera. Si vous l'écoutez, lui donnez de l'affection, prenez la peine de vous excuser lorsque vous commettez une erreur, lui manifestez du respect, vous l'amènerez tout naturellement à faire l'apprentissage de la bonté.

Apprenez à vous maîtriser

Les enfants éprouvent de la colère essentiellement pour la même raison que les adultes : ils ont la sensation que tout leur échappe. Vous espérez obtenir une augmentation de salaire ; que la circulation sera fluide ; que votre robe favorite vous ira encore ; mais même si tout va de travers, restez calme, et ainsi vous offrirez le meilleur exemple possible de maîtrise de soi à votre enfant.

Les solutions

À FAIRE

Encouragez ses manifestations d'empathie

Lorsqu'un enfant fait semblant d'attaquer une autre personne avec une arme jouet, profitez-en pour faire son éducation : «Les armes jouets peuvent blesser. Comment te sentirais-tu si quelqu'un faisait semblant de te tirer dessus ? Moi, je ne voudrais pas faire peur à quelqu'un ni le blesser. J'espère que tu ne ferais pas ça, toi non plus.»

Encouragez les jeux coopératifs

Les enfants qui aiment construire, jouer avec les autres et participer à des activités en groupe ont moins souvent l'occasion d'opter pour des jeux violents. Félicitez votre enfant d'âge préscolaire lorsqu'il joue paisiblement avec ses copains : «Cela me fait plaisir de voir combien vous vous amusez tous ensemble.»

Restreignez l'accès aux émissions de télé et aux jeux vidéo violents

Les tout-petits apprennent par imitation. Plus d'un enfant a été victime de coups de karaté assénés par un de leurs compagnons de jeu. Une étude canadienne révèle que l'on a noté une augmentation significative de l'agressivité chez les enfants deux ans après l'arrivée de la télévision dans leur milieu. Plus l'enfant s'identifie à un personnage violent vu à la télévision et plus il croit que ces images sont vraies, plus il se laisse aller à des débordements d'agressivité.

Choisissez soigneusement les émissions de télé et les jeux vidéo auxquels votre enfant est exposé et réduisez le temps passé à ces activités. Confisquez la télécommande et exercez un contrôle sur l'ordinateur afin de diminuer l'intrusion de violence dans votre foyer et de préserver l'imaginaire de votre enfant.

Regardez la télévision avec votre enfant

Des études ont démontré les enfants se rappellent davantage du contenu des émissions et s'identifient davantage à leurs héros si un adulte regarde la télé avec eux et fait des commentaires sur ce qu'ils voient ensemble. La présence d'un adulte peut intensifier de façon positive (ou négative) l'influence que la télé exerce sur l'enfant. Aussi, vous ne devriez pas regarder d'émissions à contenu violent en présence de votre enfant.

Apprenez-lui à reconnaître ses torts

Si votre petit, emporté par le feu de l'action vise un de ses frères et sœurs avec une règle, enlevez-lui son «arme» et dites, par exemple: «Les fusils blessent les gens. Ici, la gentillesse est une règle de vie: on ne fait jamais semblant de blesser quelqu'un. Maintenant, dis à Samuel que tu t'excuses pour avoir pointé un fusil dans sa direction.» Lorsqu'il s'exécute, dites-lui: «Je te remercie; Samuel a de la chance de t'avoir pour ami. J'aime comment tu lui montres que tu tiens à lui.»

Apprenez-lui à faire des compromis

Apprenez à votre enfant à résoudre ses conflits de façon juste et équitable. Si, par exemple, vous le voyez menacer son compagnon de jeu parce qu'il désire récupérer un jouet, dites: «Tu sais, il existe une autre solution à ton problème: tu pourrais, avec mon aide, régler le minuteur et laisser ton ami s'amuser pendant un moment avec ce jouet, et lorsque la sonnerie se fera entendre, ça sera à ton tour de l'avoir. De cette façon, vous en profiterez tous les deux.»

À ÉVITER

N'ayez pas recours à la violence

Il est parfois tentant de céder à l'exaspération et de corriger votre enfant, espérant ainsi lui «mettre du plomb dans la tête», mais ne cédez pas à cette impulsion. Il est tout à fait normal que la colère vous envahisse lorsque vous voyez votre petit traverser la rue en courant, mais vous n'atteindrez pas votre but en lui infligeant un châtiment physique, au contraire. Il comprendra plutôt que vous avez le droit de le frapper et qu'il n'a le droit de frapper personne. Prêchez par l'exemple. La violence engendre la violence. Si on frappe un enfant, il apprend qu'il est acceptable d'user de violence pour arriver à ses fins. Même une petite tape sur les fesses lui envoie le message douloureux qu'une personne a le droit d'imposer sa volonté par la force.

Ne perdez pas patience

Si votre bambin pointe son crayon en direction de son frère ou de sa sœur en prétendant le tuer, restez calme. Au lieu de le sermonner et de le punir, profitez de l'occasion pour lui apprendre comment agir : « Je suis déçue que tu aies désobéi à la règle de ne pas menacer les autres. Peux-tu me répéter ce qu'il faut faire et te montrer plus gentil avec ton frère ? »

Ne menacez pas votre enfant

Si vous menacez votre enfant avec une cuiller de bois parce qu'il fait semblant d'attaquer sa sœur avec une peluche, vous n'obtiendrez qu'un seul résultat : il aura peur de vous. De plus, pour l'enfant, une menace égale une promesse non tenue, lui offrant l'exemple d'un adulte qui ne tient pas parole. Au lieu de dire : « Je vais te corriger si tu vises encore ton frère avec ce rouleau de carton », dites : « Je suis déçue que tu ne respectes pas la règle qui interdit de faire semblant de tirer sur quelqu'un. Maintenant, j'aimerais que tu songes combien tu aurais peur si quelqu'un pointait une arme sur toi. »

MAXIME LE SOLDAT

Le petit Maxime, trois ans, transformait tout ce qui lui passait entre les mains en fusil, en couteau ou en épée, puis attaquait tous les « méchants » qui l'entouraient. Cela mettait Caroline, sa mère, hors d'elle-même. Elle regrettait de lui avoir procuré des armes jouets et croyait que c'était pour cette raison qu'il avait pris cette mauvaise habitude. René, son père, ne prenait pas les inquiétudes de Caroline au sérieux : « Voyons, ça n'est qu'un petit garçon après tout. J'ai bien joué avec des armes jouets lorsque j'étais petit et cela n'a pas fait de moi un tueur ! »

«Mais il transforme tout en armes, répliqua sa mère en larmes. Au petit-déjeuner, il a pointé sa rôtie dans ma direction comme si c'était un fusil et a fait semblant de tirer. Tu aurais dû voir son expression, il avait l'air si menaçant!»

«Tu devrais lui donner la fessée lorsqu'il fait cela, répondit René. Cela lui apprendrait à ne pas faire semblant de viser les gens avec n'importe quoi!»

«Ce que tu dis n'a aucun sens! rétorqua Caroline avec indignation. Comment le fait d'user de violence peut-il l'aider à comprendre qu'il ne faut pas attaquer les gens, même avec une rôtie! Écoute plutôt: aujourd'hui j'ai discuté avec Julie, la mère de Raphaël, qui a éprouvé les mêmes difficultés avec Maxime. Elle m'a expliqué comment elle a réussi à en venir à bout. Elle a fait comprendre à son fils qu'il n'aimerait pas que quelqu'un le menace avec un fusil, même une arme jouet. D'autre part, elle lui défend maintenant de regarder des émissions à caractère violent. Elle me dit que ce problème est désormais réglé.»

«Bon. Alors, faisons la même chose, suggéra René. Par ailleurs, j'ai réfléchi à quelque chose. Je crois que je devrais arrêter de lui dire des choses telles que: "Si tu recommences, je vais te dévisser la tête!" Cela lui envoie peut-être le message que si une personne vous exaspère, il est permis de lui taper dessus…»

Au cours les semaines qui suivirent, les parents ont cessé de réprimander leur fils lorsqu'il les visait avec une «arme». Ils lui disaient plutôt: «Cela me déçoit que tu choisisses de viser les gens avec une arme jouet. Les fusils peuvent tuer et les gens ont peur lorsqu'une arme est pointée sur eux. Comme tu as une jolie règle, viens t'asseoir à côté de moi et je vais t'expliquer ce qu'on peut faire avec ça. Tiens-la fermement sur le papier afin qu'elle ne bouge pas et glisse ton crayon le long de ta règle. Tu vois? Tu viens de tracer une ligne droite. C'est amusant, non?»

Caroline a continué à reprendre Maxime chaque fois qu'il visait quelqu'un avec un objet et lui expliquait à quoi servait réellement cet objet. Aujourd'hui, lorsqu'il voit des scènes de violence à la télévision il dit: «Maman n'aime pas cette télévision-là!»

René raconte en souriant une scène qui s'est déroulée entre Maxime et un de ses copains: «Je les entendais dire qu'ils joueraient à la guerre et qu'ils feraient semblant de se tirer dessus, puis Maxime s'est arrêté et a dit: "Ça n'est pas gentil de viser les gens avec un fusil. Viens on va jouer avec mes camions."»

Il était défendu à Maxime de faire semblant de tuer les gens, qu'il se trouve à la maison, au jardin d'enfants ou ailleurs. Ses parents savaient qu'il n'était animé d'aucune intention malveillante, mais ses victimes potentielles, elles, ne le savaient peut-être pas. Ils voulaient que leur fils comprenne que la vie est un don précieux et qu'il est mal de blesser les gens. Ils souhaitent que chaque enfant reçoive ce message de ses parents attentionnés.

L'HEURE DU COUCHER

Chez les petits êtres énergiques que sont les enfants d'âge préscolaire, l'heure du coucher ou de la sieste se transforme parfois en chasse à l'homme, en crise de larmes ou en quête incessante d'autre chose visant à repousser le moment détesté. Peu importe l'heure à laquelle votre enfant croit qu'il doit se coucher, soyez ferme quant à l'heure de votre choix. Accordez-lui cependant un moment de détente afin qu'il se fasse progressivement à l'idée de couper son moteur.

Comme le besoin de sommeil de votre enfant change avec l'âge, vous pouvez retarder l'heure du coucher ou raccourcir les siestes à mesure qu'il vieillit. Tous les enfants (même ceux d'une même famille) n'ont pas les mêmes besoins en sommeil. Votre bambin de deux ans peut ne pas avoir besoin d'autant de sommeil que son aîné quand il avait le même âge.

Les mesures préventives

Ménagez un tête-à-tête avec votre enfant à l'heure du coucher
À la fin de la journée ou à l'heure de la sieste, créez une atmosphère intime entre votre enfant et vous en lui récitant une comptine ou en lui racontant une histoire. Faites du coucher un événement spécial que

votre enfant anticipera avec plaisir. Chantez-lui une chanson ou parlez-lui des événements de la journée, même si votre conversation est à sens unique.

Habituez votre enfant à faire de l'exercice tous les jours

Assurez-vous que votre enfant fait de l'exercice durant la journée afin que son corps rappelle à son esprit d'aller au lit.

Limitez la durée des siestes de votre enfant

Ne laissez pas votre enfant faire la sieste jusqu'à l'heure du coucher en espérant le voir se rendormir une heure plus tard. Réveillez-le au besoin afin d'espacer les périodes de sommeil et de veille.

Faites quelques activités avec lui avant le coucher

Jouez avec votre enfant avant d'annoncer l'heure du coucher pour ne pas l'inciter à y résister dans le simple but d'obtenir votre attention.

Couchez-le toujours à la même heure

Déterminez le nombre d'heure de sommeil dont votre enfant a besoin en remarquant son comportement lorsqu'il fait une sieste ou n'en fait pas et quand il se couche à 19 h ou à 21 h. Puis déterminez l'heure du coucher en fonction de ses besoins.

Les solutions

À FAIRE

Jouez à la course contre la montre

Une heure avant le coucher (ou la sieste) de votre enfant, réglez le minuteur à cinq minutes, l'informant qu'il sera temps de se préparer à aller au lit lorsqu'il sonnera. Cela permet à l'enfant d'anticiper sur les événements à venir. Quand le minuteur sonne, dites-lui : « La sonnerie nous avertit qu'il est temps que tu te prépares à aller au lit. Viens prendre ton bain et mettre ton pyjama. » Puis, réglez le minuteur à environ quinze minutes : « Voyons voir si tu peux être prêt avant qu'il ne sonne. » Vous pouvez en profiter pour le féliciter de ses efforts pour être prêt à temps. Assurez-vous qu'il a amplement le temps de se préparer. Lorsqu'il a terminé, remettez le minuteur à environ quarante-cinq minutes : « Tu as gagné ! Tu as été plus rapide que le minuteur. Maintenant, tu peux jouer jusqu'à ce que la sonnerie nous avertisse qu'il est temps d'aller au lit. » De cette façon, l'heure du coucher deviendra un moment agréable plutôt qu'une source de conflits.

Respectez toujours le même rituel pour le coucher

Même si l'enfant se couche plus tard qu'à l'habitude, observez toujours le même rituel afin qu'il sache bien ce que vous attendez de lui à l'heure du coucher. Ne mentionnez pas l'heure tardive. Accélérez les préparatifs en l'aidant à mettre son pyjama ou en lui donnant à boire et, au début, réglez le minuteur à trente minutes plutôt qu'à soixante ; ne brûlez aucune étape.

Respectez l'ordre des préparatifs

Comme la cohérence est une source de sécurité pour les enfants d'âge préscolaire, faites en sorte que votre enfant prenne son bain, se brosse les dents et mette son pyjama dans le même ordre chaque soir. Demandez-lui de nommer à l'avance les étapes du rituel afin de transformer en jeu les préparatifs du coucher et laissez-le mener la barque.

Offrez-lui une récompense s'il bat de vitesse le minuteur

À son réveil, saluez votre enfant en lui annonçant la récompense qu'il a méritée pour avoir battu de vitesse le minuteur : «Tu as été si efficace hier soir que je vais te préparer ton petit-déjeuner favori» ou «Parce que tu t'es couché si gentiment hier soir, je vais te lire une histoire.»

À ÉVITER

Ne laissez pas votre enfant décider de l'heure du coucher

Respectez l'heure choisie même si votre enfant résiste ou fait tout pour la retarder. Rappelez-vous pourquoi votre enfant ne veut pas se coucher et pourquoi il doit le faire : «Il pleure simplement parce qu'il ne veut pas cesser de jouer, mais je sais qu'il aura plus de plaisir à jouer demain s'il se couche maintenant.»

Évitez les menaces ou les coups

Outre que cela risque de vous contrarier et de susciter en vous des sentiments de culpabilité, le fait de menacer ou de corriger votre enfant pour l'inciter à se coucher peut provoquer chez lui l'apparition de cauchemars et de peurs. Servez-vous du minuteur comme d'une autorité neutre pour vous avertir que l'heure du coucher a sonné afin d'éliminer les luttes de pouvoir.

Évitez les punitions différées

Il est inutile et cruel de dire : «Tu ne peux pas regarder la télé ce matin, parce qu'hier soir tu as tardé à te mettre au lit.» Aucun apprentissage n'est possible dans ce contexte. Oubliez le passé et amenez votre enfant à faire mieux la prochaine fois.

LE COUCHER DE SIMON

Les soirées chez les Godin se résumaient à une chose : une lutte ponctuée de larmes entre le petit Simon, âgé de trois ans, et son père à l'heure du coucher.

«J'suis pas fatigué ! J'veux pas me coucher ! J'veux rester debout !» suppliait Simon tous les soirs pendant que son père le traînait rageusement jusqu'à son lit. «Je sais que tu ne veux pas te coucher, disait-il, mais tu feras ce que je dis, et je dis que c'est l'heure de te coucher !»

M. Godin était aussi contrarié que son fils d'avoir à recourir à la force. Tout en croyant qu'il devait se faire obéir, il regrettait que Simon s'endorme en pleurant chaque soir. Il se creusait les méninges pour trouver un moyen de rendre l'heure du coucher moins pénible.

Un soir, M. Godin décida de se dominer et de laisser quelque chose d'autre, en l'occurrence un minuteur, faire le travail à sa place. Une heure avant le coucher de Simon, il le régla à quinze minutes. «Il est temps de te préparer à te coucher», expliqua M. Godin à son fils curieux. «Si tu finis de te préparer avant la sonnerie, nous réglerons le minuteur de nouveau et tu pourras recommencer à jouer pendant le reste de l'heure. Si le minuteur sonne avant que tu aies fini, tu devras te coucher tout de suite et tu ne joueras plus jusqu'à demain.»

Simon se hâta et termina ses préparatifs avant la sonnerie. Tel que promis, M. Godin régla de nouveau le minuteur, puis il lut à son fils ses histoires favorites et lui chanta des comptines jusqu'à ce que le minuteur sonne de nouveau, près d'une heure plus tard. «C'est l'heure de me coucher, n'est-ce pas ?» annonça Simon, tout content d'avoir compris le jeu. «Mais oui! Comme tu es intelligent!» répondit son père.

En mettant Simon au lit, M. Godin lui redit sa fierté de voir qu'il avait gagné la «course contre la montre». Les récompenses et le bon moment que le papa de Simon partagea avec son fils leur permirent de passer une soirée sans affrontements pour la première fois depuis des mois. Après plusieurs semaines de ce rituel, le coucher ne fut jamais un événement que Simon anticipait avec plaisir, mais il ne fut plus jamais une source de conflits entre son père et lui.

LE SIÈGE DE SÉCURITÉ POUR ENFANT

Les sièges d'auto et les ceintures de sécurité sont l'ennemi numéro un de milliers d'enfants d'âge préscolaire épris de liberté. Ces esprits aventureux ne comprennent pas pourquoi ils doivent être attachés, mais ils saisissent très bien la règle voulant que la voiture ne démarre pas tant qu'ils n'ont pas bouclé leur ceinture ou ne sont pas assis dans leur siège d'auto. Assurez la sécurité de votre enfant chaque fois qu'il monte dans la voiture en appliquant la règle de la ceinture bouclée. Cette habitude deviendra une seconde nature pour l'enfant, passager aujourd'hui, conducteur demain, si vous n'hésitez pas à appliquer cette règle qui peut faire la différence entre la vie et la mort.

Comme nous l'avons mentionné auparavant, les enfants dont la ceinture n'est pas bouclée seront projetés vers l'avant en cas de brusque arrêt de la voiture. Ils heurteront tout ce qui se trouve devant eux : le tableau de bord, le pare-brise ou l'arrière du siège avant avec un impact équivalent à une chute du haut d'un étage pour chaque tranche de 16 km/h. Même si le tableau de bord et l'arrière du siège avant sont rembourrés, un choc équivalent à une chute du haut d'un immeuble de cinq étages et demi ou plus (soit l'impact qui se produirait à 90 km/h) peut causer des blessures très sérieuses à un enfant.

Vérifiez les sièges d'auto. Les sièges et les ceintures approuvés comportent des indications de poids et d'âge visant à rendre le trajet en auto aussi sécuritaire que possible pour votre enfant. Il faut changer de siège au fur et à mesure que l'enfant grandit ; certains enfants pourront et voudront s'asseoir directement sur la banquette et boucler leur ceinture ou dans un siège d'appoint plutôt qu'un siège d'enfant.

Les traumatismes résultant d'un accident d'automobile sont la première cause de mortalité chez les enfants. Une grande partie de ces traumatismes auraient pu être évités si ces enfants avaient été attachés. Donc, ne cédez jamais aux protestations de votre enfant sinon vous pourriez compromettre à jamais sa santé et même sa vie.

Le fait d'installer correctement un siège d'auto pour enfant, permet de réduire jusqu'à 75 p. 100 le risque de décès et de 50 p. 100 les probabilités de blessures graves lors d'un accident. Pour plus de renseignements à ce sujet, visitez le site Internet de la Société de l'assurance-automobile du Québec (www.saaq.gouv.qc.ca/prevention/sieges/).

Les mesures préventives

Donnez à votre enfant de l'espace pour respirer et voir

Assurez-vous que son siège est aussi confortable que le vôtre et qu'il est suffisamment élevé pour permettre à l'enfant de regarder défiler le paysage. Vérifiez l'espace dont il dispose pour remuer les bras et les jambes tout en restant fermement attaché.

Établissez une règle : la voiture ne démarre pas
tant que tout le monde n'est pas attaché

Plus tôt (dès la naissance) vous appliquerez cette règle, plus vite votre enfant s'habituera à l'idée de s'asseoir dans son siège d'auto et de boucler sa ceinture.

Adaptez les mesures de sécurité selon l'âge de l'enfant

Assurez-vous que votre enfant comprend pourquoi il passe à un siège plus grand ou à la banquette ordinaire avec les ceintures de sécurité afin qu'il soit fier d'être attaché : « Tu es une grande fille maintenant. Voici ton nouveau siège de sécurité pour la voiture. »

Ne vous plaignez pas parce que vous devez boucler votre ceinture

En disant comme ça à votre conjoint ou à un ami que vous détestez boucler votre ceinture, vous donnez à votre enfant l'idée de refuser d'attacher la sienne.

Allez-y progressivement

Faites de courts trajets dans le voisinage : laissez votre conjoint (ou un ami) conduire pendant que vous félicitez votre enfant qui est sagement assis dans son siège d'auto afin de lui montrer comment vous voulez qu'il se comporte en voiture. Dites à votre enfant : « C'est gentil à toi de garder ta ceinture bouclée » ou « C'est très bien » tout en lui caressant les cheveux.

Les solutions

À FAIRE

Bouclez votre ceinture

Assurez-vous que votre ceinture est bouclée et montrez à l'enfant qu'il en a une comme la vôtre afin qu'il ne se sente pas le seul à être « attaché » temporairement. Si vous ne bouclez pas votre ceinture, votre enfant ne comprendra pas pourquoi lui doit le faire.

Félicitez-le s'il garde sa ceinture bouclée

Si vous ne prêtez pas attention à votre enfant quand il se conduit bien en voiture, il cherchera des moyens d'attirer votre attention. Par exemple, il sortira de son siège, car il sait que vous vous précipiterez pour l'y remettre. Évitez des ennuis à votre enfant en lui faisant comprendre que vous êtes «avec» lui à l'arrière. Parlez et jouez à des jeux de mots tout en le félicitant de rester sagement assis.

Soyez conséquent

Arrêtez la voiture d'une manière aussi rapide et sécuritaire que possible chaque fois que votre enfant sort de son siège d'auto ou se détache pour lui montrer que vous comptez appliquer la règle. Dites : «Nous repartirons quand tu resteras dans ton siège et que tu seras attaché de manière à être en sécurité.»

Distrayez votre enfant

Essayez des activités comme les jeux de nombres ou de mots, jouez au «coucou» ou chantez des chansons pour éviter que votre enfant ne sorte de son siège parce qu'il a besoin de distraction.

À ÉVITER

N'accordez pas d'attention à ses cris et à ses pleurs sauf s'il détache sa ceinture ou sort de son siège

En feignant d'ignorer les pleurs et les lamentations de votre enfant quand il est attaché, vous lui montrez qu'il n'a aucun intérêt à protester contre la règle de la ceinture bouclée. Dites-vous : «Je sais que mon enfant est plus en sécurité dans son siège d'auto et qu'il n'y résistera que pour un temps. Je suis responsable de sa sécurité, et c'est en l'obligeant à s'attacher que j'assume le mieux cette responsabilité.»

ALAIN SE DÉBOUCLE

Monsieur Brisson adorait emmener son fils de quatre ans, Alain, faire des courses avec lui, jusqu'au jour où ce dernier comprit qu'il pouvait obtenir toute l'attention de son père en détachant sa ceinture et en faisant des bonds sur la banquette arrière.

«Ne t'avise plus jamais de détacher cette ceinture, jeune homme!» ordonna son père en voyant que son fils s'était libéré.

Or, comme cette injonction ne suffit pas à régler le problème, le père opta pour une punition plus sévère. Bien qu'il n'eût jamais corrigé son fils auparavant, il lui administrait une petite fessée chaque fois qu'il le prenait à se promener librement sur la banquette arrière.

Pour sévir, toutefois, M. Brisson était forcé d'arrêter la voiture et, aussitôt, Alain se précipitait dans son siège pour éviter les coups. M. Brisson décida donc de voir ce qui se passerait s'il se contentait d'arrêter la voiture et d'annoncer qu'il ne bougerait pas tant qu'Alain n'aurait pas bouclé sa ceinture. À son fils de supporter les conséquences de sa mauvaise conduite.

Il essaya cette nouvelle méthode la fois suivante alors qu'ils se rendaient au parc. «Nous irons au parc quand tu seras assis dans ton siège et que ta ceinture sera bouclée, expliqua le père. Si tu sors de ton siège, j'arrêterai la voiture, poursuivit-il. Ce n'est pas sécuritaire pour toi de ne pas être attaché.»

À quelques kilomètres de la maison, son fils se détacha comme prévu, et son père tint promesse en arrêtant la voiture. Il ne corrigea pas son fils; il se contenta de répéter la nouvelle règle et croisa les doigts en espérant qu'Alain réintégrerait son siège puisqu'il était impatient d'arriver au parc.

Il avait raison. Alain revint à son siège et rattacha calmement sa ceinture. Son père lui dit : «Merci d'être revenu dans ton siège», et ils se rendirent au parc sans autre incident.

Le problème, toutefois, n'était pas entièrement résolu. La fois suivante, Alain détacha de nouveau sa ceinture ; son père était si furieux qu'il fut tenté de crier de nouveau, mais il s'en tint à sa nouvelle méthode. En continuant d'inclure son fils dans ses conversations et en le complimentant sur sa bonne conduite en voiture, il recommença à apprécier ses sorties avec son fils.

LA PEUR DU CHANGEMENT

« **N**on! Ça n'est pas toi, c'est maman!», hurle votre fils lorsque votre conjoint tente de lui donner son bain. Plusieurs personnes éprouvent des difficultés à faire face au changement, mais pour un bambin de moins de six ans, cela s'avère particulièrement difficile. Et pour les enfants routiniers de tempérament, c'est encore pire. Les tout-petits ont tendance à réagir mal au changement, aussi, lorsque vous sonnez l'heure du départ alors que votre enfant s'amuse avec un copain, il faut s'attendre à de vives protestations. Il est normal que les bambins se sentent rassurés par leurs petites habitudes, mais vient un moment où ce besoin de sécurité devient un obstacle. Il faut apprendre aux enfants à accepter les nouvelles situations afin de stimuler leur faculté d'adaptation.

Les mesures préventives

Accordez-lui le droit à l'erreur

En ne faisant pas grand cas des gaffes de votre enfant, vous l'aiderez à comprendre que personne n'est parfait. Cette leçon lui sera très utile et l'aidera à se remettre de ses échecs. Dites-lui: «C'est dommage que tu aies renversé ce lait. Maintenant, nous allons tout nettoyer. Les accidents, cela arrive à tout le monde.»

Apprenez-lui à prendre des décisions

Votre enfant désire se sentir maître de son destin, aussi, permettez-lui de prendre des décisions simples : choisir entre deux sortes de céréales, entre deux paires de bas, entre deux jeux. Ainsi, il aura l'impression d'exercer une maîtrise sur sa vie.

Respectez votre enfant

Peut-être avez vous appris il y a bien longtemps à vous adapter aux changements, mais votre enfant peut éprouver des difficultés pour plusieurs raisons, parfois tout simplement parce qu'il n'a pas le même caractère que vous. Chaque enfant est unique et les membres d'une même famille ont tous des tempéraments différents. Évitez de rabrouer le vôtre lorsqu'il se montre inflexible. Dites-lui plutôt : « Je sais que tu trouves ça difficile de changer de gardienne, mais je sais que tu vas t'habituer à elle, car elle est formidable. Tout ira bien, tu verras. »

Accordez-lui sa place au sein la famille

Nous désirons tous avoir notre place au sein d'un groupe. Dites souvent à votre enfant qu'il occupe une place importante au sein de la famille et encouragez-le à participer à la vie familiale. Dites-lui, par exemple : « Je te remercie de ranger tes jouets. Notre maison est plus jolie et plus accueillante lorsqu'elle est bien rangée. »

Les solutions

À FAIRE

Encouragez la résilience

L'enfant résilient considère le changement comme un défi à relever. Par contre, l'enfant rigide y résiste de toutes ses forces. Essayez d'amener votre enfant à faire ce que vous voulez de son propre chef plutôt que de l'y obliger. Cela risque de l'enthousiasmer et de l'aider à maîtriser sa peur. Aidez-le à s'apprivoiser au changement en lui disant, par exemple : « Ce soir, une nouvelle gardienne va venir. Elle est très gentille, tu verras. C'est excitant de connaître une nouvelle personne. »

Apprenez à votre enfant à faire face au changement

L'enfant à qui on donne le temps de s'apprivoiser au changement relève plus facilement de nouveaux défis. Par exemple, dites-lui : « Cette nouvelle chemise jaune est très jolie. Ça n'est pas grave si tu ne mets pas ta vieille chemise bleue aujourd'hui, parce que ta chemise jaune est hyper jolie et hyper confortable ! »

Allez-y graduellement en lui fixant des objectifs

Le fait de laisser à l'enfant le temps de se préparer au changement lui permet d'exercer une certaine maîtrise sur sa vie. Amenez-le à se fixer des buts qui lui permettront de se faire peu à peu aux changements qui se produisent dans sa vie. Dites-lui, par exemple : « Demain, nous irons au zoo avec la classe. Fixons-nous un but, d'accord ? Notre but sera que l'on s'amuse le plus possible. » Puis, de temps à autre, rappelez-lui le but que vous lui avez fixé et demandez-lui de vous le répéter : « Qu'est-ce que tu vas faire au zoo ? » S'il vous répond « Je vais au zoo pour m'amuser », répondez-lui : « Oui, c'est ça ! Tu auras beaucoup de plaisir au zoo. »

Apprenez-lui à résoudre ses problèmes

Les enfants qui résistent changement réagiront mieux si on leur offre un nombre limité de choix. Ainsi, si votre enfant répugne à adopter un grand lit, vous pouvez lui dire : « Je sais que tu n'as pas envie de dormir dans ton nouveau lit. Réfléchissons à quelque chose d'amusant. Tu pourrais peut-être aller chercher Gros Nounours afin qu'il te tienne compagnie. »

À ÉVITER

Ne vous fâchez pas s'il résiste

Certains enfants ont besoin d'être entourés et compris par leur entourage pour apprivoiser peu à peu les changements dans leur vie. Vos explosions de colère ne feront que rendre les choses plus difficiles.

Ne mettez pas l'accent sur ses gaffes

Il ne sert à rien de vous fâcher contre votre bambin parce qu'il a marché avec ses bottes dégoulinantes de boue sur le plancher de la cuisine. Il comprend seulement qu'il n'est pas aimable lorsqu'il fait des dégâts, ce qui risque de se produire plusieurs fois par jour, compte tenu de son jeune âge. N'en faites pas grand cas. Profitez-en pour faire de ces moments une occasion d'apprentissage. Dites-lui, par exemple : « Va chercher le papier absorbant afin que nous nettoyions ce dégât. Nous faisons une bonne équipe tous les deux, n'est-ce pas ? »

La TASSE BLEUE

À peine âgée de deux ans et demi, Julia manifestait une grande détermination et savait exactement ce qu'elle voulait, et ses parents, Dana et Jim, avaient intérêt à ne pas la contrarier. Quand elle ne réclamait pas à grands cris sa tasse et son assiette bleues au petit-déjeuner, elle refusait carrément d'enfiler les vêtements que sa mère avait choisis pour elle. Elle résistait de toutes ses forces au moindre petit changement en hurlant de colère pour ensuite s'effondrer en larmes, inconsolable.

Son père et sa mère désiraient aider leur fille à améliorer sa résilience. Ce dernier avait pris l'habitude se fixer des objectifs professionnels afin de ne pas céder à la peur de l'échec. Ils décidèrent donc d'appliquer cette méthode avec leur petite, espérant que le fait d'avoir un objectif l'aiderait à dépasser sa résistance au changement.

Le premier but visé fut d'amener Julia à utiliser une nouvelle tasse et une nouvelle assiette au petit-déjeuner. Ils espéraient que si leur enfant arrivait à dépasser ce caprice et à changer plus volontiers de couvert et d'ustensiles, cela l'aiderait s'ouvrir au changement. Ils lui ont donc parlé de manger dans un nouveau couvert pour le petit-déjeuner et ils l'ont même invitée à le choisir elle-même au magasin.

Ce soir-là, Dana dit à sa fille : « J'aimerais bien que, demain matin, tu utilises ta nouvelle tasse et ta nouvelle assiette au petit-déjeuner. » Cette dernière regarda sa mère et acquiesça, mais Dana n'était pas certaine qu'elle avait vraiment compris, aussi, quelques minutes plus tard elle lui dit : « Tu te souviens que je t'ai dit que tu vas déjeuner avec ta nouvelle tasse et ta nouvelle assiette demain matin. Ça sera amusant, n'est-ce pas?» «Oui maman» répondit Julia. Ses parents le lui rappelèrent à plusieurs reprises au cours de la soirée et lui montrèrent son nouveau couvert qui trônait, tout jaune, sur le comptoir.

Le lendemain matin, la petite accourut à la cuisine en réclamant son nouveau couvert. Ses parents surent alors qu'ils étaient sur la bonne piste et qu'ils avaient trouvé un bon moyen de l'aider à s'adapter au changement. Après quelques jours, ils dirent: «Ma chérie, demain tu vas manger avec ta tasse et ton assiette bleues.» La petite manifesta bruyamment son désaccord: «Non! Assiette et tasse jaune!»

Fidèles à leur décision, Dana et Jim ne firent aucun cas de cette crise. Ils décidèrent plutôt de fixer à leur enfant un nouvel objectif. Sa mère lui dit: «C'est seulement un jeu. On va se fixer un nouveau but, d'accord? Demain, tu vas prendre ton petit-déjeuner dans ton assiette et ta tasse bleues.» Un peu plus tard, ce soir-là, elle lui dit: «C'est quoi le nouveau but pour demain matin?»

Julia lui répondit: «Assiette et tasse bleues.»

«C'est ça! Oui! Demain tu vas utiliser ton assiette et ta tasse bleues pour le petit-déjeuner. Je suis contente que t'en souvienne! Tu as vraiment une bonne mémoire!»

Dana et Jim avaient des doutes quant à leur méthode, mais ils furent convaincus de son efficacité lorsqu'ils constatèrent que, pour Julia, il s'agissait d'un nouveau jeu et qu'elle cherchait de son propre chef de nouveaux buts à atteindre. Ils réalisèrent qu'il était plus facile pour elle de faire face au changement s'ils l'aidaient à s'y préparer de cette façon. Ils avaient maintenant en main un outil efficace qui, de surcroît, faisait la joie de tous. Leur persévérance avait porté ses fruits.

LA RIVALITÉ FRATERNELLE

Le rapportage entre frères et sœurs et la haine qu'un enfant éprouve à l'égard du bébé dès l'instant où il arrive dans la famille ne sont que deux exemples des difficultés qu'entraîne la rivalité fraternelle dans les relations familiales. Comme les enfants d'âge préscolaire passent leur temps à manifester leur indépendance et leur importance, ils se battent souvent avec leurs frères et sœurs au sujet de l'espace, du temps et de la première place au sein de leur univers le plus important : leur famille. Bien que la rivalité fraternelle soit inévitable, même dans les familles les plus aimables, en raison de l'esprit de compétition qui caractérise les humains, vous pouvez la réduire en faisant en sorte que chacun de vos enfants se sente spécial et unique. Pour éviter que la rivalité fraternelle ne dépasse les bornes, montrez à vos enfants que la bonne entente comporte d'autres avantages, comme s'attirer l'attention de ses parents et obtenir des privilèges.

Les mesures préventives

Préparez votre enfant à l'arrivée du nouveau-né

Parlez avec votre aîné (s'il a plus d'un an) de sa participation à la vie du nouveau bébé. Expliquez-lui ce que sera la vie quotidienne à l'arrivée du bébé. Il comprendra ainsi qu'il doit vous aider et qu'il ne sera pas relégué au second plan; il sentira également qu'il a un rôle important à jouer auprès de son frère ou de sa sœur et que, tout comme vous, il doit contribuer à combler ses besoins.

Jouez avec l'aîné que le bébé soit ou non endormi

Afin d'apaiser la rivalité qui a tendance à s'installer à l'arrivée d'un nouveau-né, jouez avec l'aîné même si le petit dernier est réveillé. Ainsi votre grand ne pensera pas que vous lui donnez de l'attention uniquement lorsque le bébé est hors de vue. Si vous passez du temps avec lui à n'importe quel moment de la journée, que le bébé soit endormi ou non, il se sentira rassuré : «J'obtiens l'attention de maman quand je veux, que le bébé soit ici avec nous ou qu'il dorme dans son petit lit. Finalement, ça n'est pas si mal que ça d'avoir un bébé à la maison!»

Fixez-vous des objectifs réalistes

N'attendez pas de votre aîné qu'il déborde de tendresse comme vous à l'égard du nouveau bébé. Il a beau être plus âgé, n'oubliez pas qu'il éprouve, lui aussi, des besoins qui doivent être comblés.

Consacrez du temps à chacun de vos enfants

Même si vous avez plusieurs bambins de moins de six ans, essayez de trouver du temps pour chacun d'eux (le bain, une promenade, une excursion à l'épicerie, etc.). Cela vous aidera à concentrer votre attention sur un seul enfant à la fois et sur ses besoins, et à prendre conscience de sentiments et de problèmes qui pourraient passer inaperçus dans le brouhaha du quotidien.

Faites des tableaux d'honneur pour chacun de vos enfants

Si vous avez des jumeaux ou des enfants rapprochés en âge, affichez les créations de chaque enfant dans un endroit spécial pour lui indiquer qu'il mérite une attention individuelle.

Les solutions

À FAIRE

Jouez à la course contre la montre

Quand vos enfants se battent pour obtenir toute votre attention, laissez au minuteur le soin de déterminer à quel moment chaque enfant pourra être cajolé. Cela vous permet d'accorder toute votre attention à chacun et indique aux autres que leur tour venu, ils pourront, à l'instar des autres, passer un moment seul avec vous.

Proposez des solutions de rechange à la bagarre

En laissant les bagarres éclater et se poursuivre dans votre maison, vous n'enseignez pas l'harmonie à vos enfants. Au lieu de supporter ces explosions, donnez à vos enfants une alternative claire : « Ou vous vous entendez bien et continuez à jouer, ou vous vous bagarrez et allez au "temps mort" chacun de votre côté. » (*Lire les détails sur le « temps mort », page 244.*) Habituez-les à faire leurs propres choix afin qu'ils aient le sentiment de prendre leur vie en main et apprennent à décider par eux-mêmes.

Définissez la bonne entente

Complimentez vos enfants sur des points précis quand ils s'amusent bien ensemble afin qu'ils comprennent correctement le sens du mot « entente » : « Je me réjouis de voir que vous partagez vos jouets et que vous vous amusez si bien ensemble. La bonne entente contribue au plaisir du jeu. »

À ÉVITER

Ne réagissez pas au rapportage

Les enfants se livrent au rapportage afin de rehausser leur prestige aux yeux de leurs parents. Vous pourrez mettre un terme à cette habitude en disant: «Je regrette que vous ne vous entendiez pas», tout en faisant semblant que votre enfant n'a rien rapporté. Même s'il vous signale une activité dangereuse, vous pouvez stopper celle-ci sans prêter attention au rapportage comme tel.

N'incitez pas votre enfant à moucharder

Ainsi, demander au grand frère de vous tenir au courant des faits et gestes de sa petite sœur n'est pas une bonne façon de montrer à vos enfants comment s'entendre sans moucharder.

Ne vous alarmez pas si vos enfants ne s'aiment pas tout le temps

La nature humaine est ainsi faite que les enfants ne peuvent vivre ensemble sans ressentir une certaine rivalité. Réduisez les frictions au minimum en récompensant la bonne entente et en ne laissant pas les petites rivalités se transformer en guerre.

Ne gardez rancune à personne

Une fois la dispute réglée, ne rappelez pas à vos enfants qu'ils étaient ennemis. Recommencez à zéro.

JACQUOT S'EN VA-T-EN GUERRE

Les constantes chamailleries qui opposaient le petit Jacquot, âgé de quatre ans, à Julie, sa petite sœur de deux ans, forçaient leurs parents à jouer aux arbitres. Son père et sa mère se demandaient ce qui avait bien pu les pousser à avoir des enfants puisque ceux-ci n'appréciaient pas les sacrifices qu'ils faisaient pour leur acheter de jolis vêtements, de nouveaux jouets et des aliments sains.

Les morsures et les taquineries étaient les deux armes qu'employaient Jacquot pour «faire payer» sa sœur quand elle lui dérobait trop souvent l'attention de son père et de sa mère. Jacquot semblait rechercher délibérément les cris et les raclées qu'il recevait chaque fois qu'il s'en prenait à sa sœur.

La seule fois où sa mère vit son fils se comporter gentiment avec sa sœur fut celle où il l'avait aidée à traverser une plaque de glace devant l'entrée. Elle en éprouva une telle gratitude qu'elle dit à son fils : «Je suis très fière de la façon dont tu as aidé ta sœur.»

Plus tard, les Simard décidèrent d'encourager les comportements de ce genre en complimentant les enfants chaque fois que l'harmonie régnait entre eux et en sévissant quand ils se bagarraient.

Ils purent appliquer leurs nouvelles lignes de conduite quand, à leur retour de l'épicerie plus tard ce jour-là, une bagarre éclata au sujet des blocs. La mère ignorait qui avait commencé mais elle dit : «Vous avez le choix maintenant, les enfants ; comme j'ignore qui a pris le jouet de qui, vous pouvez décider soit de vous amuser ensemble et de bavarder calmement comme vous l'avez fait dans la voiture aujourd'hui, soit d'aller au "temps mort" chacun de votre côté.»

Ignorant cet ultimatum, les deux enfants continuèrent de se chamailler. La mère déclara : «Je vois que vous avez tous deux choisi le "temps mort"», et elle assit chacun des enfants sur une chaise.

Julie et Jacquot hurlèrent pendant toute la durée du «temps mort», mais après s'être calmés et avoir reçu la permission de descendre de leur chaise, ils changèrent de comportement. Ils se mirent à agir comme les membres d'une même faction plutôt que comme des ennemis, et leur mère se félicita de ne pas avoir perdu son sang-froid en même temps que ses enfants.

Les Simard continuèrent à souligner tous les moments de bonne entente en accordant moins d'attention aux chamailleries et ils recoururent systématiquement au «temps mort» pour séparer les enfants et renforcer ainsi les conséquences de leur décision de se quereller.

LE VOL

Comme tout appartient à l'enfant d'âge préscolaire tant qu'on ne lui a pas dit que ce n'était pas le cas, il n'est jamais trop tôt pour lui montrer à ne pas s'approprier les biens d'autrui sans permission. Les parents sont la conscience de leurs enfants tant qu'ils n'ont pas développé la leur. Donc, chaque fois que votre enfant prend des objets qui ne lui appartiennent pas, appliquez la règle afin qu'il approuve ce qui est bien et ce qui ne l'est pas.

Les mesures préventives

Établissez des règles

Encouragez votre enfant à vous dire ce qu'il veut et montrez-lui comment le demander. Déterminez ce qu'il peut ou ne peut pas prendre dans les endroits publics et chez les autres, et expliquez-lui les règles du jeu. La première règle pourrait se formuler ainsi : « Tu dois toujours me demander la permission avant de prendre quelque chose. »

Les solutions

À FAIRE

Apprenez-lui à ne pas voler

Votre enfant ne sait pas pourquoi il ne peut pas prendre quelque chose lorsqu'il en a envie. Aidez-le à comprendre ce qui est bien et ce qui est mal en lui disant : «Si tu veux un bonbon, il faut que tu me demandes une pièce de monnaie avant d'y toucher. Si je dis oui, tu peux le prendre, mais ne le mange pas tout de suite. Il faut d'abord le payer.»

Expliquez-lui ce que vous entendez par «voler»

Montrez à votre enfant la différence entre emprunter et voler, et les conséquences de chacune de ces actions, afin de vous assurer qu'il sait ce que vous entendez par : «Tu ne dois pas voler.»

Faites-lui payer ce qu'il vole

Pour l'aider à comprendre les conséquences du vol, obligez votre enfant à réparer son méfait en exécutant des travaux dans la maison ou en renonçant à un de ses objets favoris : «Je regrette que tu aies pris un objet qui ne t'appartenait pas. Pour cela, tu dois céder un des tiens.» Le bien confisqué pourrait servir, plusieurs mois plus tard, à récompenser la bonne conduite de l'enfant.

Obligez votre enfant à rendre les objets volés

Montrez à votre enfant qu'il ne peut garder les objets qui ne lui appartiennent pas ou qu'il a empruntés sans permission. Obligez-le à les rendre lui-même (accompagnez-le au besoin).

Utilisez le «temps mort»

Si votre enfant prend un objet qui ne lui appartient pas, isolez-le et privez-le de certaines activités parce qu'il a enfreint la règle. Dites-lui :

«Je regrette que tu aies pris un objet qui ne t'appartenait pas. Temps mort.»

À ÉVITER

Ne vous posez pas en historien

Ne rappelez pas son méfait à votre enfant. Toute évocation du passé ne contribuera qu'à lui enseigner à mal se conduire et non le contraire.

N'étiquetez pas votre enfant

Ne le traitez pas de voleur, car il risquerait d'adopter le comportement conforme à cette étiquette.

Ne demandez pas à votre enfant s'il a dérobé quelque chose

Vous l'encourageriez à mentir. «Je sais que je serai puni, se dira-t-il. Pourquoi ne pas mentir pour m'éviter ce désagrément?»

N'hésitez pas à fouiller votre enfant

Si vous le soupçonnez d'avoir dérobé quelque chose, fouillez-le. Appliquez la règle si vous découvrez qu'il a commis un vol. Dites: «Je regrette que tu aies pris un objet qui n'était pas à toi» et appliquez les règles suggérées à la rubrique «À faire».

LE PETIT VOLEUR À L'ÉTALAGE

Monsieur et madame Bilodeau n'avaient jamais enfreint la loi ni fait de prison, et ils ne voulaient pas que le petit Serge, âgé de quatre ans, se retrouve un jour derrière les barreaux, non plus. Or s'il continuait à dérober du chewing-gum, des bonbons, des jouets et tout ce qu'il convoitait quand il faisait des courses avec ses parents, ceux-ci se demandaient (assez sérieusement) s'il n'allait pas finir en prison.

«Ne sais-tu pas qu'il est interdit de voler?» criait sa mère quand elle le prenait la main dans le sac, en lui donnant une tape sur les mains et en le traitant de mauvais garnement. Elle finit par craindre de faire des courses avec son fils, car elle appréhendait l'embarras que lui causait la correction qu'elle se sentait obligée de lui infliger.

Mais Serge était totalement inconscient des raisons qui interdisaient le vol. Les Bilodeau se rendirent compte que leur fils ne comprenait pas que prendre ce qui ne lui appartenait pas n'était pas un jeu. Ils lui expliquèrent donc la situation en termes clairs.

«Serge, on ne prend pas les choses sans les payer, commença M. Bilodeau. Tu peux me demander du chewing-gum et, si je suis d'accord, tu pourras prendre le paquet et le tenir jusqu'à ce que nous le payions. Faisons un exercice.»

Serge était ravi, car quand il obéissait à la règle et demandait du chewing-gum, ses parents le félicitaient et payaient la friandise.

Mais sa mère n'acquiesçait pas toujours à ses demandes, aussi, un jour, il tenta de dérober une tablette de chocolat sans l'avoir d'abord demandée à sa mère. Celle-ci appliqua alors la seconde règle en lui faisant «payer» le coût de son méfait: «Parce que tu as pris cette tablette de chocolat, annonça-t-elle tout en le ramenant au magasin, tu devras céder la friandise-jouet qui se trouve à la maison.»

Malgré les protestations outrées de son fils, elle lui retira sa friandise-jouet. «Pour mériter que je te rende ton jouet, lui expliqua-t-elle, tu devras suivre les règles en demandant d'abord la permission et en ne prenant pas ce qui n'est pas payé.»

Après avoir félicité leur fils qui obéissait aux règles depuis plusieurs semaines, ses parents lui rendirent sa friandise-jouet et se sentirent rassurés quant à l'avenir de leur petit garçon vif et gai.

LES RÉPONSES INSOLENTES

Quand des réponses insolentes (sarcasmes, répliques et remarques déplaisantes) jaillissent de la bouche de votre enfant jadis si angélique, vous prenez douloureusement conscience de sa capacité à répéter les mots (bons et mauvais) qu'il entend et de contrôler son univers grâce à eux. Or, comme c'est toujours auprès des autres qu'il apprend ses réponses insolentes (comme tout le langage, du reste), vous devez limiter les occasions qu'il a d'entendre des mots défendus. Surveillez ce qu'il regarde à la télévision, ses amis et votre propre langage afin d'éliminer les remarques insolentes de son vocabulaire.

Les mesures préventives

Parlez à votre enfant comme vous voulez qu'il vous parle

Apprenez à votre enfant à utiliser le langage que vous voulez entendre : «Merci», «S'il te plaît» et «Je regrette». Expliquez-lui aussi que ce n'est pas toujours ce qu'il dit mais la façon dont il le dit qui est insolente.

Déterminez ce que vous considérez comme une réponse insolente

Afin de réagir logiquement au langage de plus en plus diversifié de votre enfant, vous devez vous demander si ses propos sont insolents ou si c'est sa façon de les tenir qui l'est. Vous pouvez établir les distinctions suivantes : les sarcasmes, les injures, les cris et les refus provocateurs sont des réponses insolentes ; de simples refus comme «Je ne veux pas» sont des jérémiades tandis que les questions comme «Suis-je obligé de le faire ?» sont des opinions. Assurez-vous que votre enfant comprend ce que vous entendez pas «insolence».

Surveillez ses amis, les médias et votre propre langage
Prenez note des mots que vous, vos amis, les camarades de votre enfant, les membres de la famille et les personnages de la télévision laissent échapper afin d'exposer votre enfant le moins possible aux réponses insolentes.

Les solutions

À FAIRE

Usez le mot
Faites en sorte que votre enfant en ait assez d'employer le mot que vous jugez insolent afin qu'il ne le prononce plus dans le feu de la bataille. Demandez-lui de répéter le mot offensant pendant une minute pour chaque année d'âge afin de lui faire perdre son pouvoir : «Je regrette que tu aies dit ce mot. Je vais régler le minuteur, et tu le répéteras jusqu'à ce qu'il sonne. Quand tu entendras la sonnerie, tu pourras cesser de dire le mot.»

Ignorez les réponses insolentes
Prêtez le moins d'attention possible aux réponses insolentes qui sont inoffensives. En faisant comme si l'événement ne s'était pas produit, vous retirez à l'insolent tout le pouvoir qu'il pourrait avoir sur vous ainsi que le plaisir d'être impoli parce que c'est un jeu qu'il n'est pas amusant de jouer seul.

Félicitez votre enfant quand il parle bien

Montrez à votre enfant le genre de mots que vous préférez le voir utiliser en soulignant les cas où ses réponses ne sont pas insolentes : « J'apprécie que tu ne me répondes pas en criant quand je te pose une question. C'est très gentil à toi. » Expliquez-lui que c'est souvent la manière dont il dit un mot qui est insolente. Dites : « Je m'en fous » d'une voix furieuse, puis d'une voix douce afin de lui donner un exemple.

À ÉVITER

N'entamez pas une lutte de pouvoir

Sachant que c'est en vous répondant d'une manière insolente que votre enfant cherche à vous dominer, ne lui répondez pas sur le même ton. Il peut trouver amusant de constater qu'il peut vous mettre en colère ou obtenir votre attention en se montrant insolent, mais vous ne voulez pas encourager cette attitude.

Ne lui montrez pas à répondre insolemment

Répondre à votre enfant en criant ne fera que lui apprendre à être insolent. Bien qu'il soit difficile de ne pas crier quand on crie après nous, enseignez le respect à votre enfant en le respectant vous-même. Soyez poli avec lui, comme s'il était votre invité.

Ne punissez pas sévèrement les réponses insolentes

Gardez vos punitions les plus sévères pour les comportements vraiment graves et nocifs pour lui et pour les autres. Les réponses insolentes sont, au pire, agaçantes. Rien ne prouve qu'on enseigne le respect aux enfants en les punissant pour leur manque de respect. Les punitions enseignent la peur, non le respect.

L'INSOLENCE DE PATRICK

Chaque fois que madame Lorrain demandait à Patrick, son fils de quatre ans, de faire quelque chose comme ramasser ses jouets ou ranger le beurre d'arachide dans l'armoire, il criait : «Non ! Je ne t'aime pas ; je ne le ferai pas !» Patrick devint si expert en réponses insolentes et en violence verbale que chaque fois qu'on lui posait une question, il répondait d'un ton furieux comme s'il avait oublié comment répondre poliment.

«Tu ne me parleras pas sur ce ton-là !» criait son père à Patrick, accentuant ainsi le tumulte qui régnait dans la famille.

Dès que les Lorrain comprirent qu'en usant de sarcasme et en lui répondant sur le même ton ils donnaient l'exemple à leur fils, ils s'efforcèrent de réagir calmement à son insolence et de louer toute réaction calme de sa part. «C'est gentil à toi de nous répondre d'une manière si agréable», lui dirent-ils la première fois qu'il répondit : «D'accord» quand ils lui demandèrent de ranger ses jouets.

Il leur fut de plus en plus facile de dominer leur colère, car ils remarquèrent tous deux que Patrick criait de moins en moins ; en outre, quand il se montrait impertinent, ils faisaient la sourde oreille.

Cependant, comme Patrick répétait le mot «idiot» sans arrêt dans l'espoir d'attirer l'attention, ses parents décidèrent de l'amener à «user ce mot». «Dis "idiot" pendant quatre minutes», lui commandèrent-ils. Patrick répéta ce mot le plus rapidement possible pendant deux minutes et fut incapable de continuer. Au grand ravissement de ses parents, il le raya à jamais de son vocabulaire.

LES COLÈRES

Des millions d'enfants d'âge préscolaire normaux et adorables piquent des crises, car cela constitue leur manière d'extérioriser leur frustration ou leur colère et de dire au monde entier qu'ils sont les maîtres. Le remède? On peut réduire la fréquence de ces crises et les prévenir en ne donnant pas au comédien un auditoire et en ne cédant pas à ses caprices. Même si la tentation est forte de capituler ou de ramper sous le comptoir le plus près quand votre enfant pique une colère en public, armez-vous de patience jusqu'à ce qu'il ait fini et félicitez-le de s'être ressaisi dès qu'il sera calmé.

Les crises de larmes courantes et périodiques ne sont pas des crises de colère et doivent être traitées autrement. Adressez-vous à un professionnel si votre enfant pique plus de deux ou trois crises de larmes journalières.

Les mesures préventives

Montrez à votre enfant comment gérer sa frustration et sa colère

Montrez à votre enfant comment les adultes trouvent des façons d'exprimer leurs sentiments sans crier ni hurler. Si vous brûlez le ragoût, par exemple, au lieu de le jeter à la poubelle, dites: «Je suis contrarié maintenant, mon chéri, mais ce n'est pas grave. Je vais tenter de réparer

ce gâchis en voyant quel autre plat je peux préparer pour le dîner.»
Peu importe la situation, apprenez à votre enfant à examiner les
solutions possibles à son problème au lieu de s'emporter.

Complimentez votre enfant

Essayez de surprendre votre enfant quand il se conduit bien. Par exemple,
s'il vous demande de l'aider à résoudre un casse-tête compliqué,
félicitez-le : «Je suis très content que tu aies demandé mon aide au
lieu de te mettre en colère.» En aidant votre enfant à affronter calmement sa frustration et sa colère, vous contribuez à rehausser son image
de lui-même. Vous constaterez qu'il s'applique à résoudre calmement
ses problèmes s'il sait que cela lui vaudra des éloges. Dites-lui que
vous comprenez sa frustration : «Je comprends ce que tu ressens
quand tout ne marche pas comme tu veux, et je suis vraiment fier de
voir que tu es capable de garder ton calme.»

Ne laissez pas toujours votre enfant jouer seul

Si maman et papa s'en vont toujours quand il est sage, votre enfant
risque davantage de mal se conduire simplement pour vous ramener
vers lui à l'heure du jeu.

N'attendez pas une invitation

Si votre enfant semble aux prises avec des difficultés dans ses jeux ou
à table, par exemple, n'attendez pas trop longtemps. Si vous constatez
qu'il est incapable de résoudre son problème, dites : «Je parie que ce
morceau va ici» ou «Faisons comme ceci». Montrez-lui comment faire
avancer son jeu ou couper sa nourriture, puis laissez-le terminer la
tâche afin qu'il soit fier d'accepter l'aide des autres.

Les solutions

À FAIRE

Ignorez les crises de votre enfant

Ne faites rien pour, avec ou à votre enfant pendant qu'il fait une crise. Montrez-lui qu'une crise de colère n'est pas le bon moyen d'obtenir votre attention et de vous inciter à satisfaire ses désirs. Cependant, comment feindre d'ignorer une tornade qui souffle dans votre salon ? Éloignez-vous de votre enfant pendant sa crise, tournez-lui le dos, mettez-le dans sa chambre ou isolez-vous. S'il se montre destructeur envers lui-même ou envers les autres dans un endroit public, enfermez-le dans la voiture ou dans un autre endroit clos. Ne regardez même pas dans sa direction pendant son isolement. Même si c'est difficile de vous détourner, essayez de vous occuper dans une autre pièce ou de faire une autre activité si vous vous trouvez dans un endroit public.

Essayez d'être ferme

Malgré la puissance des cris et des coups de votre enfant, assurez-vous que vous dominez la situation en appliquant fermement la règle établie dans ces circonstances. Dites-vous qu'il est important que votre enfant sache qu'il ne peut pas toujours avoir ce qu'il veut quand il le veut. Il apprend à être réaliste et vous apprenez à être conséquent et à lui indiquer les limites d'un comportement acceptable et inacceptable.

Conservez votre calme

Dites-vous : «C'est une bagatelle. Je peux maîtriser mon enfant tout en lui enseignant à se maîtriser. Il essaie seulement de me contrarier pour obtenir ce qu'il veut.» Conserver votre calme tout en ignorant votre enfant est le meilleur exemple que vous puissiez lui donner quand il est en colère. Donc, vaquez à vos occupations.

Complimentez votre enfant

Quand le feu d'une colère ne fait que couver, complimentez tout de suite votre enfant pour sa maîtrise de lui-même, puis entraînez-le avec vous dans un jeu ou une activité peu susceptible de vous frustrer ou de le frustrer: «Je me réjouis de voir que tu vas mieux maintenant. Je t'aime, mais je n'aime pas les cris et les hurlements.» Comme c'est là votre seule allusion à sa crise, il saura que ce n'est pas lui que vous faisiez semblant d'ignorer, mais sa crise.

Expliquez les changements de règles

Si vous vous trouvez avec votre enfant dans un magasin et qu'il vous demande un jouet qui lui était interdit auparavant, vous pouvez changer d'avis, mais vous devez aussi modifier votre message: «Te rappelles-tu la dernière fois que nous sommes venus et que tu as piqué une colère? Si tu te conduis comme il faut et que tu restes près de moi, tu pourras avoir ce jouet.» Il comprendra ainsi que ce n'est pas sa crise qui vous a fait changer d'avis et que vous lui achetez le jouet pour une autre raison. Si le cœur vous en dit, donnez-lui cette raison, surtout si elle concerne sa bonne conduite.

À ÉVITER

Évitez de raisonner ou d'expliquer

Vous perdez votre temps en raisonnant votre enfant ou en l'incitant à se dominer *pendant* sa crise. Il n'en a cure: il est la vedette de son propre spectacle! Toute discussion ne fera que l'encourager en lui donnant un auditoire.

Ne piquez pas de crise vous-même

Dites-vous: «Pourquoi ferais-je l'imbécile? Je sais que j'avais une bonne raison de dire non.» Perdre votre sang-froid ne fera qu'encourager votre enfant à poursuivre le combat.

Ne rabaissez pas votre enfant

Ce n'est pas parce que votre enfant pique une crise qu'il est méchant. Ne dites pas : « Vilain garnement ! Tu n'as pas honte ? » Vous blesseriez son amour-propre.

Ne vous posez pas en historien

Évitez de rappeler sa crise à votre enfant plus tard dans la journée. Cela ne ferait que souligner ce comportement et augmenter les chances que votre enfant en pique une autre simplement pour que vous parliez de lui.

Ne faites pas payer sa crise à votre enfant

En ignorant votre enfant après sa crise, vous ne feriez que l'inciter à piquer de nouvelles colères pour attirer votre attention. Ne lui donnez pas l'impression de ne pas être aimé, ni voulu alors que c'est son comportement qui ne l'est pas.

L'HEURE DE LA CRISE

Donald et Marie Girard se faisaient du mauvais sang au sujet de la petite Annie, âgée de deux ans, qui souffrait d'une grave crise de « colérite » chaque fois qu'ils lui refusaient le biscuit qu'elle demandait avant le dîner. Quand ses parents disaient non, elle hurlait « oui », se pendait aux jambes de son père et sautait sur le plancher de la cuisine jusqu'à ce que ses parents, affolés, finissent par céder.

Les Girard se sentaient impuissants et se demandaient ce qui clochait. Était-ce terriblement méchant d'opposer un refus aux exigences d'Annie ? Finalement, ils se rendirent compte que les crises d'Annie étaient plus fréquentes quand ils lui disaient non. Ils comprirent également que céder à son désir

---

de manger un biscuit avant le dîner ne faisait qu'encourager sa mauvaise conduite.

À la crise suivante, ils avaient élaboré une nouvelle stratégie. Quand Annie explosa, sa mère, au lieu de refuser carrément, dit à sa fille, mine de rien : « Annie, je sais que tu veux un biscuit, mais tu dois d'abord te calmer et terminer ton dîner. »

Annie continua sa crise mais ses parents plantèrent là leur enfant en colère qui, du coup, se trouva privée d'un auditoire. Même s'ils mouraient d'envie de jeter un coup d'œil sur l'enfant, les Girard attendirent qu'elle se calme avant de revenir dans la cuisine. Privée d'attention, Annie avait cessé de pleurnicher et attendait de voir si ses parents mettraient leurs bonnes résolutions en pratique.

Quand elle se tut, son père vint à elle et lui dit en souriant : « Annie, je sais que tu veux un biscuit maintenant, mais quand tu auras mangé ton dîner, tu en auras un comme dessert. Je suis content de voir que tu ne cries plus et que tu arrives à te dominer. » Annie mangea calmement son dîner et, tel que promis, ses parents lui donnèrent un biscuit.

Ce soir-là, les Girard se félicitèrent de la maîtrise dont ils avaient fait preuve en refusant de céder aux caprices d'Annie et de lui servir de public. Bien qu'ils fussent tentés de capituler de nouveau quelque temps après, ils continuèrent de laisser leur fille seule pendant ses crises et de la féliciter chaque fois qu'elle demeurait calme face à un refus. Ses crises diminuèrent au point où Annie, qui pleurait de déception de temps à autre, ne piquait plus les crises épouvantables qui l'avaient caractérisée dans le passé.

LES PETITS ACCIDENTS

L'apprentissage de la propreté constitue la première grande lutte de pouvoir entre les parents et les enfants d'âge préscolaire. La guerre éclate quand les parents demandent à leurs rejetons épris d'indépendance de renoncer à ce qu'ils considèrent comme une seconde nature pour entreprendre une chose nouvelle et souvent rebutante à leurs yeux. Pour la plupart des enfants, ce qui est désirable à propos de l'apprentissage de la propreté, c'est de plaire aux parents ; par conséquent, afin d'éviter le plus grand nombre possible de petits accidents durant cet apprentissage, concentrez-vous davantage sur ce que votre enfant devrait faire (garder sa culotte sèche, aller sur le pot) que sur ce qu'il ne devrait pas faire (faire dans sa culotte). Aidez votre enfant à être fier de lui tout en réduisant ses chances de s'échapper dans le simple but d'obtenir votre attention et vos réactions.

Si votre enfant a de fréquents accidents après l'âge de quatre ans, consultez un médecin. Ce chapitre n'aborde pas la question des pipis au lit, car de nombreux enfants d'âge préscolaire ne sont tout simplement pas capables de rester secs toute la nuit. Bien des spécialistes croient qu'après six ans, on devrait considérer le fait de mouiller son lit comme un problème qui peut être traité de plusieurs façons.

Les mesures préventives

Observez les signaux qui indiquent que votre enfant est prêt à devenir propre

Généralement, un enfant est prêt à faire l'apprentissage de la propreté (habituellement vers l'âge de deux ans) lorsqu'il est conscient qu'il urine ou défèque ou qu'il en a envie ; qu'il élimine à des intervalles plus ou moins réguliers ; qu'il arrive à baisser sa culotte et à grimper sur le siège de la toilette (et à descendre) ; qu'il comprend les termes désignant l'élimination et obéit à des directives simples ; et, en général, qu'il n'aime pas être souillé.

Ne précipitez pas les choses

Un apprentissage précoce ne fait qu'enseigner aux enfants à dépendre davantage de leurs parents que de leur propre capacité à devenir propres.

Montrez-lui comment utiliser le pot

Familiarisez votre enfant avec le pot et son utilisation en lui montrant comment vous utilisez la toilette et en lui apprenant comment faire.

Facilitez-lui l'accès au pot ou à la toilette

Installez le pot sur le plancher de la cuisine, par exemple, afin de faciliter l'apprentissage de base. Au début, apportez le pot avec vous afin d'aider votre enfant à s'en servir sans embarras dans les endroits publics.

Employez une méthode d'apprentissage et gardez-la

Il existe plusieurs livres et vidéos qui vous aideront à apprendre à votre enfant à devenir propre. Choisissez une méthode qui vous convient et appliquez-la consciencieusement. La constance et la patience sont les clés du succès.

Les solutions

À FAIRE

Récompensez votre enfant s'il ne souille pas sa couche

Montrez à votre enfant à rester sec en lui disant à quel point cela est agréable. Cela mettra en valeur les moments où il a répondu à vos attentes (rester sec) et mettra davantage l'accent sur ce comportement que sur ses erreurs. Tous les quarts d'heure environ, demandez à votre enfant de vérifier sa culotte. Est-elle sèche ? Vous lui imputez ainsi la responsabilité de vérifier s'il est sec et lui donnez plus d'emprise sur la situation. S'il est sec, félicitez-le : « C'est très bien de rester sec. »

Rappelez à votre enfant à quel endroit il doit faire ses besoins

De nombreux enfants d'âge préscolaire font occasionnellement leurs besoins dans un endroit inadéquat (dehors, par exemple). Si c'est le cas de votre enfant, rappelez-lui la règle : « Tu dois faire tes besoins dans le pot. Exerçons-nous. » Puis, répétez la procédure correcte.

Réagissez avec calme aux accidents

Si votre enfant s'échappe, dites : « Je regrette que tu sois mouillé. Maintenant, nous devons nous exercer à rester sec. » Puis, exercez-vous une dizaine de fois à aller aux toilettes à divers endroits de la maison (baisser sa culotte, s'asseoir sur le pot, remonter sa culotte, s'asseoir sur le pot à l'endroit suivant, etc.). Durant ces exercices, votre enfant n'a pas besoin d'uriner ou d'aller à la selle, mais seulement de faire semblant.

Appliquez la règle de grand-mère en public

Si votre enfant refuse d'utiliser un autre pot que le sien quand vous vous trouvez dans un endroit public, appliquez la règle de grand-mère. Emportez le pot de votre enfant avec vous si possible ou promettez-lui une récompense s'il utilise un autre pot : « Tu dois rester sec. Un pot en vaut un autre. Nous ne pouvons pas utiliser ton pot parce qu'il n'est pas ici. Quand tu auras utilisé ce pot-ci, nous irons au zoo.»

À ÉVITER

Ne punissez pas votre enfant s'il s'échappe

La punition ne fait que donner à votre enfant de l'attention pour avoir fait dans sa culotte ou dans un endroit interdit sans lui apprendre à rester sec.

Ne posez pas les mauvaises questions

Répétée fréquemment, la phrase: «Vérifie ta culotte» agit comme un rappel subtil et est un excellent substitut à: «As-tu besoin d'aller sur le pot?», question qui attire habituellement un non. Confiez à votre enfant la responsabilité de vérifier l'état de sa culotte et de remédier au problème le cas échéant, afin de stimuler sa fierté de pouvoir prendre soin de lui-même comme maman et papa.

LES «ACCIDENTS» DE PAULINE

Dès le début des vacances d'été, la petite Pauline, âgée de trois ans et demi, ne faisait pas qu'oublier ses chiffres et ses lettres: ses petits accidents occasionnels indiquaient qu'elle attendait trop longtemps avant de se mettre en route pour les toilettes. Sa mère la voyait se trémousser et déployer d'énormes efforts pour ne pas y aller.

Pauline découvrit qu'elle pouvait soulager un peu son envie en libérant une toute petite quantité d'urine dans sa culotte. Quand sa mère la réprimandait et la corrigeait, Pauline soulignait le fait qu'elle était juste «un peu» mouillée.

Il est clair, se dit sa mère, que Pauline espère obtenir de l'attention en s'échappant ainsi, sinon pourquoi soulignerait-elle le fait qu'elle est juste un peu mouillée?

Ayant analysé la situation, ses parents décidèrent de reprendre la méthode qu'ils avaient employée l'année précédente pour apprendre la propreté à leur fille : ils se mirent à la complimenter quand sa culotte était sèche au lieu de se fâcher quand elle était mouillée.

«Vérifie ta culotte, Pauline», lui ordonna sa mère le lendemain après le petit-déjeuner. «Est-elle sèche?»

La mère fut aussi ravie que Pauline quand celle-ci répondit joyeusement : «Oui!» avec un grand sourire.

«Merci de rester sèche, ma chérie», dit-elle en étreignant sa fille. «Continue comme ça!»

Après avoir passé quelques jours à encourager sa fille à vérifier régulièrement sa culotte (qui était restée sèche), la mère de Pauline crut avoir réglé le problème... jusqu'à ce que la petite mouille de nouveau sa culotte le lendemain.

«Exerçons-nous dix fois à aller sur le pot», dit-elle à sa fille maussade, qui semblait très déçue de ne pas avoir reçu d'éloges comme quand sa culotte était sèche.

Pauline se rendit vite compte qu'il était plus facile d'aller sur le pot et de recevoir des éloges que de s'y exercer dix fois, et elle garda sa culotte sèche pendant plusieurs mois.

Ses parents la complimentèrent mais durent la rappeler à l'ordre à plusieurs reprises l'année suivante. Ils gardaient à l'esprit que Pauline devait réapprendre à être propre, et ils préféraient l'assister dans ce travail plutôt que d'être furieux et frustrés parce qu'elle souillait sa culotte.

LES DÉPLACEMENTS

Pour la plupart des adultes, les voyages constituent un changement de rythme, de paysage et de routine, puisqu'on abandonne les tâches quotidiennes en faveur d'une vie libre et facile. Pour la plupart des enfants d'âge préscolaire, toutefois, voyager peut représenter tout le contraire des vacances, car ils aiment le sentiment de sécurité que leur procurent leurs jouets familiers, leur lit et leur nourriture. Faites en sorte de ne pas avoir besoin de nouvelles vacances à votre retour en emportant les objets favoris de votre enfant (jouets, «doudous», vêtements) et en lui faisant découvrir les plaisirs des vacances. Les voyages nous privent souvent du confort de la maison; c'est pourquoi vous devez montrer à votre enfant comment affronter le changement et apprécier les nouvelles expériences, deux tâches qui s'avéreront d'autant plus faciles que votre élève heureux et intéressé se sentira en sécurité dans son nouvel environnement.

Rappelez-vous que, dans l'auto, votre enfant doit boucler sa ceinture de sécurité en tout temps. En outre, un jeune enfant ne devrait jamais s'asseoir sur la banquette avant de l'auto (*voir la section «Le siège de sécurité pour enfant», page 176*).

Les mesures préventives

Assurez-vous que le siège d'auto et les ceintures de sécurité sont fonctionnels avant le départ

Les mesures de sécurité que vous prendrez avant de partir détermineront votre degré de détente au moment du départ. N'attendez pas à la dernière minute pour découvrir que vous devez retarder le voyage parce qu'il vous manque l'une des choses les plus essentielles: le siège d'auto pour enfant.

Habituez votre enfant à respecter la règle

Avant d'entreprendre un long voyage avec votre enfant, faites quelques essais afin de l'apprivoiser à ce qui l'attend. Félicitez-le chaque fois qu'il s'assoit ou boucle bien sa ceinture de sécurité pendant ces exercices pour lui montrer que le fait de demeurer assis dans son siège lui vaut des récompenses.

Établissez des règles

Annoncez que la voiture ne démarre que lorsque tout le monde a bouclé sa ceinture: «Je regrette que ta ceinture ne soit pas bouclée. Nous ne partirons pas tant qu'elle ne le sera pas.» Attendez que tous les passagers aient obéi à cette règle avant de vous mettre en route.

Emportez des jeux appropriés

Emportez des jouets qui ne tachent pas et qui ne peuvent endommager les vêtements et les sièges de l'auto. Ainsi, vous pouvez emporter des crayons de cire, mais les feutres sont déconseillés, car ils risquent de marquer les sièges si on les échappe. Si vous utilisez les transports publics, prévoyez des activités calmes pouvant s'exercer dans un espace restreint et qui peuvent captiver l'enfant pendant de longs moments.

Familiarisez l'enfant avec vos projets

Parlez de vos projets de voyage à votre enfant. Dites-lui combien de temps durera votre absence, ce qu'il adviendra de sa chambre quand vous serez partis et à quel moment vous reviendrez. Montrez-lui des cartes et des photographies de votre destination. Parlez-lui des gens, des paysages, des événements auxquels vous assisterez et des activités que vous ferez. Racontez-lui des histoires et des souvenirs relatifs à votre dernière visite à cet endroit. Comparez celui-ci à un endroit que connaît votre enfant afin d'atténuer l'anxiété qu'il pourrait ressentir à l'idée de se rendre dans un endroit inconnu.

Associez votre petit voyageur aux préparatifs

Invitez votre enfant à participer aux préparatifs. Sollicitez son aide pour faire les bagages, choisir les jouets qu'il emportera, porter le fourretout, demeurer près de vous à l'aéroport ou à la gare, etc.

Établissez les règles de conduite à suivre pendant votre séjour

Avant de partir, dites à votre enfant quels jeux et activités seront ou ne seront pas permis pendant la visite chez grand-mère ou tante Hélène et quelles règles il devra suivre. Par exemple, établissez une règle sur le bruit, une sur l'exploration, une sur la piscine et une sur le comportement au restaurant qui s'appliqueront pendant les arrêts effectués en cours de route et à arrivés à destination.

Les solutions

À FAIRE

Félicitez votre enfant de sa bonne conduite

Félicitez-le souvent pour sa bonne conduite et récompensez-le s'il accepte de rester dans son siège d'auto. Dites, par exemple : « Je suis vraiment

content de voir que tu admires les arbres et les maisons. C'est une journée magnifique aujourd'hui. Bientôt nous pourrons sortir de la voiture
et jouer dans le parc parce que tu es resté si gentiment dans ton siège.»

Arrêtez la voiture si votre enfant sort de son siège ou détache sa ceinture

Faites comprendre à votre enfant que vous comptez appliquer la règle
du siège d'auto et que les conséquences seront les mêmes chaque
fois qu'il ne la respectera pas.

Jouez à des jeux en voiture

Comptez des objets, reconnaissez des couleurs, cherchez des animaux,
par exemple, afin d'intégrer votre enfant au processus qui consiste à
se rendre d'un endroit à un autre. Comme ni lui ni vous ne pourrez
vous concentrer longtemps sur un jeu, dressez une liste de jeux amusants avant de partir. Proposez plusieurs jeux par heure en faisant une
rotation afin de stimuler son intérêt… et le vôtre.

Faites des arrêts fréquents

Votre enfant d'âge préscolaire ne tient pas en place et est sûrement à
son meilleur quand il bouge, de sorte qu'être confiné pendant des
heures dans une voiture, un avion ou un train ne convient pas très bien
à sa nature aventureuse. Donnez-lui le temps de s'ébattre dans un parc
routier, par exemple, ou il s'en prendra à vous au moment où vous le
désirez ou vous y attendez le moins.

Surveillez ses collations pendant les longs voyages

Les aliments riches en sucre et en hydrates de carbone risquent non
seulement d'accroître le niveau d'activité de votre enfant mais de lui
donner aussi la nausée. Offrez-lui des collations riches en protéines
ou légèrement salées plutôt que des aliments sucrés.

Appliquez la règle de grand-mère

Dites à votre enfant que sa bonne conduite pendant le voyage sera récompensée. Si votre enfant se plaint qu'il a soif, dites: «Si tu restes assis dans ton siège et que tu parles sans geindre, nous arrêterons pour boire quelque chose.»

À ÉVITER

N'assoyez jamais un jeune enfant sur la banquette avant de l'automobile

Ne laissez jamais votre enfant s'asseoir à l'avant de l'automobile. Ne cédez ni à ses supplications ni à son chantage, ni à son insistance, même si vous n'avez qu'une courte distance à parcourir. L'endroit le plus sécuritaire pour un enfant en bas âge est à l'arrière de l'auto, assis dans son siège d'enfant ou son siège d'appoint, avec sa ceinture de sécurité bouclée.

Ne faites pas de promesses que vous ne pourriez pas tenir

Ne soyez pas trop précis quant à ce que votre enfant verra en voyage, car il exigera peut-être que votre promesse soit tenue. Ainsi, si vous lui dites qu'il verra peut-être un ours et qu'il n'en voit pas, vous vous exposez à entendre des jérémiades du genre «Mais tu m'avais promis que je verrais un ours» en quittant le parc.

UN PARCOURS SEMÉ D'EMBÛCHES

Les Morin aspiraient à passer avec leur petite famille des vacances en tous points semblables à celles qu'ils passaient quand ils étaient petits. Mais voyager avec la petite Alexandra (trois ans) et avec Thomas (cinq ans) ressemblait davantage à une punition qu'à une partie de plaisir.

La banquette arrière de la voiture était le théâtre de bagarres et de cris qui attiraient automatiquement sur les enfants des menaces et des «taloches». Mais les punitions ne parvenaient pas à apaiser la colère des parents qui se sentaient impuissants à résoudre ce problème.

C'est pourquoi ils décidèrent d'établir de nouvelles règles qu'ils mirent à l'épreuve lors de courts trajets jusqu'à l'épicerie, au parc ou chez des amis. Ils choisirent des jouets sécuritaires avec lesquels leurs enfants pourraient s'amuser sans surveillance et leur expliquèrent la nouvelle ligne de conduite en voiture.

«Mes chéris, commencèrent-ils, nous allons à l'épicerie. Si vous restez assis dans vos sièges et que vous nous parlez gentiment pendant tout le trajet, chacun pourra choisir son jus favori.»

Les Morin félicitaient ainsi les enfants quand ils respectaient la règle : «Merci d'avoir été si calmes ; je me réjouis de voir que vous ne pleurnichez pas et que vous ne vous chamaillez pas» La première fois, cependant, leur plan échoua lamentablement, et les enfants ne touchèrent pas leur récompense.

Il ne fallut que deux autres «épreuves» locales pour que les deux bambins se comportent bien en voiture, reçoivent des félicitations et soient récompensés pour leur bonne conduite.

Deux semaines plus tard, la famille Morin entreprit le trajet de deux heures qui devait les conduire chez grand-mère, le plus long depuis le début des exercices. Les enfants connaissaient la ligne de conduite à suivre, et des récompenses les attendaient en chemin et à destination, toutes choses qui rendirent beaucoup plus amusante la traversée de la rivière et des forêts.

LES ESCAPADES

Curieux, les enfants d'âge préscolaire dressent mentalement des listes de ce qu'ils veulent voir et faire dans les magasins tout comme leurs parents font leur liste d'épicerie. La confusion éclate quand ces listes ne concordent pas et que les enfants accordent la priorité à la leur. Or, comme la sécurité de votre enfant l'emporte sur sa curiosité dans les situations dangereuses (celles où il se trouve sur le chemin des voitures, des piétons ou des paniers d'épicerie, par exemple), appliquez vos règles de conduite sans tenir compte de ses protestations. Habituez votre enfant à demeurer près de vous dans les endroits publics tant que vous ne serez pas certain qu'il fait la différence entre ce qui est dangereux et ce qui ne l'est pas, une distinction que vous lui aurez apprise.

Pour encourager votre enfant à demeurer près de vous dans les endroits publics, vous devez mettre l'accent sur la prévention. Si votre enfant s'est éloigné de vous, il ne vous reste qu'à le trouver et à l'empêcher de récidiver.

Les mesures préventives

Établissez des règles de bonne conduite en public
Choisissez un moment neutre (avant ou longtemps après son écart de conduite) pour informer votre enfant de ce que vous attendez de lui

dans les endroits publics: «Dans les magasins, tu dois absolument rester près de moi».

Exercez-vous

Afin que votre enfant sache comment appliquer ces règles, exercez-vous avant de quitter la maison: «Nous allons essayer de rester ensemble. Voyons combien de temps tu resteras près de moi.» Quand il réussit à rester avec vous un certain temps, complimentez-le: «C'est très bien. Merci de ne pas t'être éloigné de moi.»

Montrez à votre enfant à venir vers vous

À un moment neutre, prenez la main de votre enfant et attirez-le vers vous en disant: «Viens ici, s'il te plaît.» Enlacez-le et remerciez-le: «Merci d'être venu.» Répétez cet exercice cinq fois par jour en augmentant peu à peu la distance entre votre enfant et vous quand vous l'appelez, jusqu'à ce qu'il vienne vers vous de l'autre extrémité de la pièce ou du magasin.

Félicitez votre enfant

Encouragez-le à demeurer près de vous en le félicitant chaque fois qu'il le fait: «C'est très bien!» ou «C'est merveilleux de faire des courses avec toi parce que tu restes près de moi».

Faites-le participer

Laissez votre enfant porter un paquet ou pousser sa poussette s'il en est capable. Il aura ainsi l'impression de jouer un rôle important dans les courses et sera moins tenté de vagabonder.

Modifiez la règle à mesure que l'enfant change

Si, en vieillissant, votre enfant est capable de s'éloigner brièvement puis de revenir aussitôt vers vous dans un magasin, vous pouvez modifier la règle. Dites-lui que vous lui donnez plus de liberté afin de lui faire sentir qu'il a mérité cette indépendance grâce à sa bonne conduite dans les endroits publics. Il comprendra mieux les avantages qu'entraîne l'observation des règles.

Faites preuve de fermeté et de cohérence
Ne modifiez pas les règles de bonne conduite en public sans prévenir votre enfant. Votre fermeté et votre cohérence à cet égard lui procureront un sentiment de sécurité. La conscience de ses limites suscitera peut-être quelques hurlements de protestation, mais le contrôle que vous exercez l'aidera à se sentir protégé en territoire étranger.

Les solutions

À FAIRE

Utilisez les réprimandes et le « temps mort »
En réprimandant votre enfant lorsqu'il s'éloigne de vous en public, vous lui enseignez le comportement à adopter ainsi que les conséquences d'un manquement à la règle : « Non, ne t'éloigne pas. Tu es censé rester près de moi. Tant que tu restes près de moi, tu es en sécurité. » S'il enfreint encore la règle, réprimandez-le de nouveau et mettez-le au « temps mort » (dans un coin du magasin ou tout près sur une chaise) tout en restant près de lui.

À ÉVITER

Ne laissez pas votre enfant régir vos occupations
Ne le menacez pas de rentrer s'il s'éloigne de vous. C'est peut-être justement ce qu'il veut, de sorte qu'il s'éloignera simplement pour que vous exauciez son vœu.

Ne prolongez pas les courses outre mesure

Certains enfants en bas âge peuvent obéir aux règles plus longtemps que d'autres. Apprenez à connaître votre enfant. Comme sa limite est peut-être d'une heure, prenez cela en considération quand vous quittez la maison.

«RESTE ICI!»

Les Séguin hésitaient à emmener Matthieu, leur fils de quatre ans, dans les magasins ou à l'épicerie, car il se volatilisait dès qu'ils avaient le dos tourné.

«Reste ici! Ne t'éloigne jamais de nous dans les magasins!» cria Mme Séguin à son fils en le voyant disparaître sous un étalage dans un magasin à rayons.

Mais c'était en pure perte. Comme tous trois quittaient le magasin et marchaient dans le centre commercial, Matthieu courut vers une vitrine en criant: «Regardez ce train! Regardez ce train!»

La vitrine se trouvait presque hors de portée de voix, ce qui terrifia la mère de Mathieu. Elle comprit alors qu'elle devait établir des règles pour empêcher son fils de disparaître pendant qu'elle effectuerait ses emplettes de Noël. Le lendemain, avant d'aller à l'épicerie, elle expliqua la nouvelle règle à son fils, car elle savait fort bien que son activité favorite à l'épicerie consistait à courir d'une allée à l'autre.

«Matthieu, tu dois rester à mes côtés en tout temps, commença-t-elle. Tant que tu restes près de moi, tu peux regarder les choses avec tes yeux, mais non avec tes mains!»

Pendant l'exercice, Matthieu s'évapora en quelques minutes. «Ne t'éloigne pas», lui dit sa mère quand elle le rattrapa enfin dans une allée. «Tu es censé rester près de moi. Quand tu restes près de moi, tu es en sécurité.»

Matthieu n'avait jamais entendu ce sermon avant et ignorait quelle importance il avait au juste. Il fit donc comme s'il n'avait pas entendu et s'élança vers les barres tendres dont il raffolait.

Sa mère, qui cachait sa colère intérieure sous un air froid, se dit que la règle était nouvelle et que, comme toutes les règles, elle demandait un peu de pratique avant d'être suivie à la lettre.

«Tu es censé demeurer près de moi parce qu'ainsi, tu es en sécurité», dit-elle en le réprimandant de nouveau. Elle l'emmena séance tenante dans un coin tranquille du magasin et lui tourna le dos sans s'éloigner.

Matthieu jeta un regard en coin à sa mère et cria: «Non! Je veux jouer. Je te déteste!» Embarrassée mais intraitable, sa mère ne prêta pas attention à sa colère, car elle avait décidé que si une réprimande ne venait pas à bout du problème, elle mettrait son fils au «temps mort» pour lui apprendre la règle.

Après trois minutes (qui lui parurent trois heures), elle fit un grand sourire à son fils et lui répéta la règle pendant qu'ils terminaient leurs emplettes. Chaque fois que Matthieu demeurait près d'elle, sa mère le félicitait: «C'est très bien, mon chéri. Je suis très heureuse de faire mes emplettes avec toi. Viens avec moi voir quelles céréales nous achèterons pour le petit-déjeuner de demain.»

La mère de Mathieu ne dut recourir aux réprimandes et au «temps mort» qu'à quelques reprises pendant les semaines suivantes et la nouvelle complicité entre son fils et elle était très agréable.

L'ENTÊTEMENT

Comme la patience n'est pas une vertu innée chez les humains, les tout-petits doivent apprendre l'art d'attendre quand ils veulent faire, voir, manger, toucher ou entendre quelque chose. Comme vous savez beaucoup mieux que votre bambin ce qui est bon pour lui, c'est à vous de décider quand il peut faire ou non ce qu'il veut. Tout en exerçant ce contrôle, expliquez à votre enfant quand et comment il peut obtenir ce qu'il veut. En outre, montrez-lui que la patience vous rapporte à vous aussi : «Je n'aime pas attendre avant d'acheter le nouveau mobilier de la salle à dîner que je veux, mais je sais que si je fais des efforts pour économiser de l'argent, je pourrai l'acheter bientôt» ou «Je sais que tu veux manger la pâte à gâteau, mais si tu attends qu'elle soit cuite, tu auras encore plus de gâteau à manger.» Votre enfant découvre tout juste que le monde ne tournera pas toujours autour de ses désirs. Il n'est pas trop tôt pour qu'il apprenne l'art de faire face à cette réalité souvent frustrante de la vie.

Les mesures préventives

Offrez à votre enfant un choix d'activités
Fixez les conditions dans lesquelles votre enfant pourra faire ce qu'il veut et proposez-lui des activités à faire en attendant : «Joue avec tes bâtonnets cinq minutes puis nous irons chez Mamie.»

Les solutions

À FAIRE

Encouragez la patience

Récompensez même le plus léger signe de patience en félicitant votre enfant quand il s'est montré patient ou s'est acquitté d'une tâche, par exemple. Définissez le mot «patience» si vous sentez qu'il ne lui est pas familier : «Tu es très patiente quand tu attends que je récure l'évier avant d'avoir ton jus. Cela me montre que tu es une grande fille.» Vous enseignez ainsi à votre enfant qu'il est capable de retarder la satisfaction de ses désirs même s'il ne le sait pas encore ; en outre, votre approbation flatte son amour-propre.

Demeurez aussi calme que possible

Si votre enfant refuse d'attendre ou proteste parce qu'il ne peut imposer sa volonté, rappelez-vous qu'il apprend une leçon de vie précieuse : l'art d'être patient. En vous voyant être patient, il apprendra vite que demander ne comble pas ses désirs aussi rapidement qu'exécuter le travail soi-même.

Faites en sorte que votre enfant participe à la réalisation de ses désirs — appliquez la règle de grand-mère

Si votre enfant hurle : «Veux aller ! Veux aller ! Veux aller chez Mamie !» par exemple, répétez-lui ce qu'il doit faire avant que vous n'accédiez à son désir, ce qui le motivera à exécuter la tâche que vous attendez de lui. Énoncez ces conditions d'une manière positive : «Quand tu auras replacé tes livres sur l'étagère, nous irons chez Mamie.»

Évitez d'opposer un simple «non» aux désirs de votre enfant

Expliquez-lui comment s'y prendre pour faire ce qu'il veut (si c'est possible et sans danger), au lieu de lui donner l'impression qu'il ne pourra jamais satisfaire ses désirs : «Quand tu te seras lavé les mains, tu pourras avoir une pomme.» Certes, il y a des moments où vous devez dire non à votre enfant (s'il veut jouer avec la tondeuse, par exemple). Proposez-lui alors un autre jeu qui comblera ses désirs tout en lui montrant à faire des compromis et à rester souple.

À ÉVITER

N'exigez pas de votre enfant qu'il obéisse sur-le-champ

En exigeant de votre enfant qu'il s'exécute séance tenante, vous renforcez l'idée qu'il peut imposer sa volonté immédiatement tout comme vous voulez lui imposer la vôtre.

Ne récompensez pas l'impatience

Ne cédez pas aux désirs de votre enfant chaque fois qu'il ne veut en faire qu'à sa tête. Bien qu'il soit tentant de remettre à plus tard votre occupation du moment afin de satisfaire votre enfant et d'éviter un affrontement ou une crise, céder à ses exigences lui apprend seulement à ne pas être patient et augmente ses chances de toujours chercher à imposer sa volonté sur-le-champ.

Ne cédez pas à ses exigences

Même s'il rouspète tout le temps qu'il doit attendre, faites-lui comprendre clairement que c'est parce que vous êtes prêt et que vous avez terminé vos travaux que vous montez dans la voiture, et non parce qu'il a pleurniché tout ce temps : «J'ai fini de laver la vaisselle. Nous pouvons y aller maintenant.»

«JE LE VEUX TOUT DE SUITE!»

«Veux boire tout de suite», disait en pleurnichant la petite Émilie, âgée de deux ans, chaque fois qu'elle avait soif. Quand elle voyait sa mère donner le biberon à Justin, son petit frère, elle en voulait un, elle aussi, tout de suite.

«Non, je suis occupée. Il faudra que tu attendes!» répondait sa mère qui s'irritait de voir que sa fille ne comprenait pas que les bébés ne savent pas attendre comme les grandes filles.

Les exigences d'Émilie étaient si nombreuses (elle voulait qu'on la prenne, ou qu'on lui donne un jouet ou à boire) que sa mère appréhendait les moments où sa fille entrait dans la pièce alors qu'elle-même était occupée, surtout quand elle prenait soin de Justin.

Quand Émilie se mit à ôter les aliments, les boissons, les jouets et les couvertures à son frère en disant qu'ils étaient à elle, sa mère comprit qu'elle devait prendre le taureau par les cornes. Elle expliqua à sa fille une nouvelle règle qui s'appelait «la règle de grand-mère»: «Quand tu auras fait ce que je t'ai demandé, tu pourras faire ce que tu veux. C'est la nouvelle règle dans cette maison.»

Cet après-midi-là, comme Émilie insistait pour avoir un jus dix minutes seulement après avoir bu, sa mère déclara fermement: «Quand tu auras mis tes chaussures, tu auras du jus de pomme.»

Or, Émilie avait l'habitude de s'entendre répondre «non» et de piquer une crise jusqu'à ce que sa mère cède à ses caprices. Elle feignit donc d'ignorer la nouvelle règle de sa mère et se mit à supplier: «J'ai soif! J'ai soif!» comme d'habitude.

Or, non seulement sa crise ne mena à rien, mais sa mère s'en désintéressa tout à fait. Contrariée, la fillette mit ses chaussures pour voir si cela ne lui vaudrait pas l'attention de sa mère (et le jus), puisque ses cris ne l'avaient pas fait et constata, surprise et ravie, que c'était le cas.

Elle apprit rapidement que sa mère ne plaisantait pas, car elle continua d'appliquer régulièrement la règle de grand-mère. Quand Émilie remplissait les conditions de l'entente, sa mère la félicitait par des paroles comme : «Je suis heureuse de voir que tu as rangé tes jouets. Tu peux jouer dehors maintenant.»

Elle appréciait sincèrement les actions de sa fille, qui semblait acquiescer plus volontiers à ses requêtes. En contrepartie, sa mère tentait de limiter le nombre de ses demandes. À mesure que les membres de la famille apprenaient à collaborer pour arriver à leurs fins, ils retrouvèrent le plaisir de vivre les uns avec — et non malgré — les autres.

LES JÉRÉMIADES

Les adultes sont parfois de mauvaise humeur sans raison aucune. Il arrive également aux tout-petits de pleurer et d'être irritables sans raison apparente. Si tous les besoins de votre enfant sont comblés (sa couche est sèche, il a mangé, etc.), il désire probablement obtenir de l'attention ou imposer sa volonté. Pour aussi ardu que ce soit, ignorer le geignard contribue à réduire ses gémissements. Votre enfant apprendra très vite une règle importante : demander gentiment ce que l'on veut est plus efficace que de pleurnicher et de se montrer grincheux.

Les mesures préventives

Complimentez-le quand il est agréable à vivre

Profitez des moments où votre enfant ne se plaint pas pour lui dire que vous appréciez sa compagnie. L'attention que vous lui accordez dans ces moments renforce le comportement positif que vous désirez qu'il adopte.

Répondez à ses besoins

Assurez-vous que votre enfant mange à sa faim, se lave, s'habille, dort et reçoit quantité de câlins aussi régulièrement que possible pour l'empêcher de devenir grincheux parce qu'il ne se sent pas bien et trop contrarié par une situation pour exprimer ses sentiments sans pleurer.

Les solutions

À FAIRE

Faites le point sur les plaintes constantes

Assurez-vous que votre enfant sait exactement ce que vous entendez par «se lamenter» quand vous lui intimez de cesser de le faire. Expliquez-lui ensuite que vous voulez qu'il demande ou exprime ce qu'il veut sans geindre: Dites, par exemple: «Tu n'auras pas de jus de pomme tant que tu ne le demanderas pas gentiment. Voici comment je voudrais que tu le demandes: "Maman (ou papa), puis-je avoir du jus de pomme, s'il te plaît?"» Si votre enfant ne parle pas encore, montrez-lui à pointer du doigt ce qu'il veut ou à vous y conduire. Laissez-le s'exercer à demander des choses d'une manière plaisante au moins cinq fois tandis que vous accédez à ses demandes afin de prouver ce que vous avancez.

Désignez un endroit pour geindre et pleurer

Si votre enfant continue de geindre même après que vous lui ayez enseigné comment exprimer ses désirs de façon appropriée, dites-lui qu'il a le droit d'éprouver des sentiments et des frustrations que seuls les pleurs peuvent soulager. Dites-lui qu'il peut pleurer et gémir autant qu'il veut, mais uniquement dans la «chambre des pleurs», en l'occurrence un endroit que vous aurez désigné à cette fin. Expliquez-lui qu'il pourra sortir quand il aura fini de pleurnicher et qu'il sera capable de demander ce qu'il veut de façon appropriée: «Je regrette que tu sois contrarié. Tu peux aller dans la chambre des pleurs et re-venir quand tu te sentiras mieux.»

Ignorez les jérémiades de votre enfant

Comme les jérémiades sont vraiment énervantes, il se peut que vous accordiez plus d'attention à votre enfant quand il se lamente que quand il est calme, même si cette attention n'est pas affectueuse. Assoyez votre enfant sur la chaise des pleurs et permettez-lui d'extérioriser sa frustration ou de s'apitoyer sur sa dure journée. Et si ses pleurs excèdent votre seuil de tolérance, portez des écouteurs ou bouchez-vous les oreilles.

Soulignez les moments où votre enfant ne se plaint pas
Pour créer un puissant contraste entre vos réactions face aux jérémiades et à l'absence de jérémiades, félicitez votre enfant dès qu'il se calme en disant : « Tu es si gentil, allons chercher un jouet ! » ou « Cela fait longtemps que je ne t'ai pas entendu pleurer, c'est agréable ! » ou « Merci de ne pas te lamenter ».

À ÉVITER

Ne cédez pas aux caprices d'un enfant qui geint
En accordant de l'attention à votre enfant quand il se lamente, soit en lui parlant soit en lui cédant, vous lui montrez qu'il peut obtenir ce qu'il veut en se plaignant.

Ne vous lamentez pas vous-même
Les récriminations des adultes peuvent passer pour des jérémiades aux yeux d'un enfant. Si vous vous lamentez, votre bambin se croira autorisé à vous imiter. Si vous êtes de mauvaise humeur, ne déversez pas votre frustration sur votre enfant. Dites-lui simplement que vous n'êtes pas dans votre assiette, mais ne vous lamentez pas.

Ne vous fâchez pas contre votre enfant
Évitez de vous fâcher simplement parce que votre enfant n'est pas en forme, car non seulement prendra-t-il vos éclats pour de l'attention, mais encore votre colère lui donnera l'impression de vous dominer. Il risque de continuer à geindre simplement pour exercer un contrôle sur vous.

Ne punissez pas sans arrêt les pleurs et les jérémiades

La vieille réplique : « Je vais te donner une bonne raison de pleurer » ne fait que créer un conflit entre vous et votre enfant. Celui-ci croira qu'il ne faut jamais pleurer et se sentira coupable d'être de mauvaise humeur. Laissez-le pleurer et gémir dans certaines limites parce que pleurer est peut-être sa seule façon d'exprimer ses frustrations, surtout s'il ne parle pas encore.

Évitez de croire que la situation perdurera

Votre enfant n'est peut-être pas en train ce jour-là ou il traverse une période où rien ne semble lui plaire. Il passe son temps à pleurnicher, mais bientôt, il se sentira de nouveau en harmonie avec son univers. Dites-vous que « cela passera » et efforcez-vous de lui rendre la vie la moins frustrante possible en le félicitant chaque fois qu'il se conduit bien.

LA CHAISE DES JÉRÉMIADES

Dès l'instant où Marthe, une enfant de trois ans, ouvrait les yeux jusqu'à celui où elle les fermait, elle pleurnichait : « Maman, je veux manger ! Maman, qu'est-ce qu'y a à la télé ? Maman, où est-ce qu'on va ? Maman, prends-moi dans tes bras ! »

Sa mère s'efforçait de ne pas entendre le tintamarre de sa fille et cédait à ses caprices pour avoir la paix, mais ses jérémiades et ses pleurnicheries l'irritaient au point où, un jour, elle lui cria à tue-tête : « Marthe ! Arrête tes jérémiades. Elles m'horripilent ! »

Comme ses propres hurlements ne contribuaient qu'à renforcer ceux de sa fille, la mère savait qu'elle devait trouver un autre moyen de couper court à ses lamentations. Elle décida de mettre en pratique une version du « temps mort »,

---

technique qu'elle s'efforçait d'utiliser chaque fois que sa fille se conduisait mal.

«Voici la chaise des jérémiades», dit-elle à sa fille le lendemain, alors que celle-ci avait déjà commencé à pleurnicher comme d'habitude. «Je regrette que tu te lamentes en ce moment. Quand tu auras fini, tu pourras descendre de la chaise, et nous jouerons avec tes poupées», déclara-t-elle en assoyant sa fille sur la chaise qu'elle avait décidé d'employer à cette fin. Puis elle s'éloigna, bien décidée à n'accorder aucune attention à sa fille.

Quand la mère n'entendit plus rien, elle revint vers sa fille et la félicita d'avoir cessé de geindre: «J'adore cela quand tu ne te lamentes pas. Allons jouer maintenant!»

Quand elle constata que sa fille effectuait au moins dix haltes quotidiennes sur la chaise des jérémiades, elle décida d'aller plus loin et de montrer à Marthe comment éviter cette punition.

«Si tu me le demandes sans te lamenter, je te donnerai du jus», lui expliqua-t-elle ce jour-là. Elle lui montra à dire: «Maman, puis-je avoir du jus, s'il te plaît?» Marthe mettait ces instructions en pratique quand elle voulait quelque chose à boire ou à manger ou un jouet. Elle n'obtenait rien avec des larmes.

Bien que Marthe ne cessât jamais complètement de geindre, (elle le faisait encore parfois quand elle n'était pas en forme), sa mère apprécia énormément ce changement.

LISTE DE CONTRÔLE
POUR UNE MAISON SANS DANGER

Des statistiques alarmantes démontrent que les accidents sont la cause la plus importante de décès chez les petits enfants. La plupart sont attribuables à la curiosité normale et saine des enfants. Les dangers se multiplient à mesure que bébé apprend à ramper, à marcher, à grimper et à explorer. Cette liste de contrôle permet d'identifier les mesures à prendre pour prévenir les accidents à la maison.

❏ Gardez méticuleusement les fusils et les couteaux dans une armoire fermée à clé et hors de la portée des enfants. Chaque fusil devrait avoir un cran d'arrêt et les munitions devraient se trouver dans un autre endroit, également inaccessible aux tout-petits.

❏ Fixez des loquets de sécurité sur tous les placards et les tiroirs qui renferment des objets dangereux.

❏ Déplacez-vous à quatre pattes dans toute la maison afin de détecter tout danger.

❏ Insérez dans les prises de courant des bouchons de plastique spécialement conçus à cette fin.

❏ Rangez les rallonges inutilisées.

❏ Placez un canapé ou un fauteuil devant les prises électriques dans lesquelles des cordons sont branchés.

❏ Rangez les tables ou autres meubles qui ne sont pas solides ou qui possèdent des angles aigus.

❏ Appuyez contre un mur les meubles susceptibles de se renverser.

❏ Rangez les produits domestiques dangereux comme les détergents, les produits de nettoyage, les lames de rasoir, les allumettes et les médicaments dans un placard verrouillé hors de la portée des enfants.

❏ Installez un écran approprié devant le foyer.

❏ Utilisez toujours un bon siège d'auto dans la voiture.

❏ Vérifiez régulièrement les jouets pour détecter les arêtes tranchantes ou les petites pièces brisées.

❏ Inspectez le sol pour trouver les petits objets que votre enfant pourrait avaler ou avec lesquels il pourrait s'étouffer.

❏ Placez une barrière devant les escaliers pour empêcher votre enfant d'y jouer sans surveillance.

❏ Ne laissez jamais votre bébé seul sur la table à langer, dans la baignoire, sur un canapé, sur votre lit, sur un siège d'enfant ou une chaise haute, sur le sol ou dans une voiture.

❏ Gardez du sirop d'ipéca sous la main pour faire vomir votre enfant advenant le cas où il avalerait un poison non corrosif.

❏ Placez les bibelots délicats hors de la portée de votre enfant.

❏ Gardez la porte de la salle de bain fermée en tout temps.

❏ Conservez les sacs de plastique et les petits objets (épingles, boutons, noix, bonbons durs, pièces de monnaie) hors de portée des enfants.

❏ Assurez-vous que les jouets, les meubles et les murs sont couverts d'une peinture sans plomb. Lisez les étiquettes des jouets pour vous assurer qu'ils ne sont pas toxiques.

❏ Montrez-lui le sens du mot «chaud» le plus tôt possible. Ne laissez pas votre enfant s'approcher du four brûlant, du fer à repasser, du conduit de la cheminée, du foyer, du four à bois, du barbecue, de cigarettes allumées, du briquet et de tasses de café ou de thé chaud.

❏ Tournez toujours les manches des chaudrons vers l'intérieur quand vous cuisinez.

❏ Installez un loquet de sécurité sur le congélateur et la porte du four, s'il y a lieu.

❏ Levez toujours les montants du lit quand votre bébé (même tout petit) y est couché.

❏ Ne mettez pas de nappe sur la table quand votre petit est à proximité.

❏ N'attachez jamais de jouets à un lit ou à un parc d'enfant; votre bébé pourrait s'étrangler avec la corde. De plus, n'enfilez jamais la sucette du bébé sur une corde passée autour de son cou.

LES ÉTAPES
DU DÉVELOPPEMENT DE L'ENFANT

Le tableau ci-dessous indique quelques-unes des étapes que traversent normalement les enfants de un à cinq ans. Il s'agit de caractéristiques générales que nous avons associées avec l'âge où elles apparaissent habituellement. Comme chaque enfant possède son propre calendrier de développement, le comportement suggéré peut se produire avant ou après l'âge indiqué. Servez-vous de ces lignes directrices pour vous familiariser avec chaque étape de croissance en gardant à l'esprit que, même si le comportement de votre enfant est normal, celui-ci peut nécessiter une éducation disciplinée, propre à assurer son bien-être mental et affectif ainsi que le vôtre.

Âge	Jalons
De 1 à 2 ans	• Explore son environnement.
	• Fait une longue sieste quotidienne.
	• S'amuse seul pendant de courtes périodes.
	• Explore toutes les parties de son corps.

De 2 à 3 ans
- Court, grimpe, pousse, tire ; est très actif.
- A les genoux cagneux.
- Mange avec ses doigts ou une cuiller, boit dans une tasse.
- Retire seul certains vêtements.
- Explore ses organes génitaux.
- Dort moins, se réveille facilement.
- Aime les activités routinières.
- Est bouleversé quand sa mère passe la nuit à l'extérieur.
- Veut faire des choses par lui-même.
- Est têtu et indécis ; change souvent d'avis.
- Pique des colères et a des sautes d'humeur.
- Imite les adultes.
- Joue en présence d'enfants de son âge, mais non avec eux.
- N'est pas encore capable de partager, de patienter, d'attendre son tour, de céder.
- Aime jouer dans l'eau.
- Prolonge le rituel du coucher.
- Utilise des mots simples, fait de courtes phrases.
- Est négatif ; dit non.
- Comprend plus qu'il ne parle.

De 3 à 4 ans
- Court ; saute et grimpe.
- Mange seul ; boit très bien dans une tasse.
- Transporte des choses sans les renverser.
- Peut enfiler et retirer certains vêtements.
- Ne dort pas toujours à l'heure de la sieste, mais joue calmement.
- Est réceptif aux adultes ; cherche leur approbation.

- Est sensible à la désapprobation.
- Collabore; aime rendre de petits services.
- Se trouve à l'étape du «moi aussi»; aime être inclus.
- Est curieux à propos des choses et des gens.
- A de l'imagination; craint l'obscurité, les animaux.
- Peut avoir un compagnon imaginaire.
- Quitte parfois son lit le soir.
- Est loquace; fait de courtes phrases.
- Peut attendre son tour; a un peu de patience.
- Peut assumer certaines responsabilités (ranger ses jouets, par exemple).
- S'amuse bien seul, mais les jeux collectifs peuvent être tumultueux.
- Est attaché au parent du sexe opposé.
- Est jaloux, surtout à l'arrivée d'un nouveau-né.
- Manifeste des sentiments de culpabilité.
- Exprime son insécurité en se lamentant, en pleurant et en demandant des preuves d'amour.
- Relâche sa tension en suçant son pouce, en se rongeant les ongles.

De 4 à 5 ans
- Améliorer sa coordination.
- Possède de bonnes habitudes en matière d'alimentation, de sommeil et d'élimination.
- Est très actif.
- Commence des activités sans toujours les terminer.
- Aime commander et se vanter.
- Joue avec les autres tout en s'affirmant.
- Engage de brèves querelles.
- Parle clairement; est un grand orateur.

- Raconte des histoires; exagère.
- Utilise un langage coloré et amusant pour décrire ses besoins (pipi, caca).
- Fabrique des mots sans signification comportant beaucoup de syllabes.
- Rit, glousse.
- Lambine.
- Se lave quand on le lui demande.
- Demande: «Comment?» et «Pourquoi?»
- Se montre dépendant de ses pairs.

ANNEXE 3

LEXIQUE DE LA DISCIPLINE

Les termes ci-dessous sont définis en fonction de leur utilisation dans ce livre.

Course contre la montre

Méthode incitative qui fait appel à l'esprit de concurrence des enfants. Comme ils adorent courir pour arriver les premiers, les parents peuvent, au moyen d'un petit minuteur culinaire, organiser une course contre la montre et leur dire: «Y arriveras-tu avant la sonnerie?» Forts du soutien de leurs parents, les enfants peuvent ensuite se lancer dans cette compétition amusante. Des recherches ont démontré que cette méthode réduisait les conflits et les luttes de pouvoir entre parents et enfants.

Éloge

Fait de souligner verbalement un comportement que l'on veut renforcer. Les éloges doivent toujours être orientés vers le comportement et non vers l'enfant. Exemple: «Tu as bien mangé» et non: «Tu es un bon garçon parce que tu as bien mangé». Les éloges fournissent un modèle d'énoncés qui conduisent l'enfant à un niveau élevé de développement moral.

Moment neutre

Un moment sans conflit, comme celui qui suit une crise de colère et pendant lequel l'enfant joue calmement. Le moment neutre est le moment le plus propice à l'enseignement d'un nouveau comportement. En effet, le calme et l'absence de «parasites émotifs», rendent les enfants (tout comme les adultes) plus réceptifs et mieux disposés à apprendre.

Règle

Jeu prédéterminé d'attentes assorties d'un résultat et de conséquences clairement établis. Par exemple, voici une règle : «Chacun dépose son linge sale dans le panier quand il se déshabille, de façon à toujours tenir la maison en ordre.» L'élaboration et l'application de règles sont des techniques efficaces de résolution de problèmes parce qu'on a prouvé que les enfants se comportent d'une manière plus acceptable quand leur univers est prévisible et qu'ils peuvent anticiper les conséquences de leur comportement.

Règle de grand-mère

Entente établie selon le modèle suivant : «Quand tu auras fait X, tu pourras faire Y [ce que l'enfant veut faire].» Cette règle, inconditionnelle, gagne à être énoncée d'une manière positive plutôt que négative. Ne remplacez jamais le mot «quand» par «si», car l'enfant pourrait vous demander : «Et si je ne fais pas X?» Comme le dit le vieux dicton : «On gagne son pain à la sueur de son front.» La règle de grand-mère est dérivée de ce truisme fondamental et on a démontré qu'elle produisait un effet puissant sur le comportement parce qu'elle est fondée sur des renforçateurs reconnus (récompenses, effets positifs).

Réprimande

Remarque acerbe comprenant l'ordre de cesser un comportement, la raison de cet ordre et une solution de rechange, par exemple : «Cesse de frapper ton petit frère ; cela lui fait mal ; demande-lui gentiment de te donner ton jouet.»

Temps mort

Mettre l'enfant à l'écart de toute interaction sociale pendant une période donnée. Un temps mort typique consiste à asseoir l'enfant sur une chaise ou à l'enfermer dans sa chambre pendant un laps de temps précis. La règle d'or : une minute de temps mort pour chaque année d'âge. Pour appliquer cette règle, envoyez l'enfant à l'endroit choisi, puis réglez le minuteur. Si l'enfant quitte sa chaise avant la sonnerie, réglez le minuteur de nouveau et ordonnez-lui d'y rester jusqu'à ce qu'il sonne à nouveau. Recommencez tant qu'il ne respectera pas la période d'immobilité prévue. Les recherches ont démontré que cette méthode dépasse de loin les techniques traditionnelles violentes comme la fessée. Pourquoi ? Parce que, pendant le temps mort, l'enfant ne peut recevoir aucun renforcement (attention verbale, contact physique) ni jouir des effets positifs éventuels de sa mauvaise conduite.

MON ENFANT EST-IL HYPERACTIF ?

Si vous croyez que votre enfant est hyperactif, vous devrez le confier un spécialiste en santé mentale (psychologue, travailleur social, psychiatre) qui évaluera sa condition. C'est seulement après avoir procédé à un examen approfondi de votre enfant qu'il pourra établir un diagnostic et un plan de traitement. Il explorera tous les aspects de la vie de votre enfant. Pour ce faire, il passera en revue son histoire familiale, le rencontrera au moins une fois, fera une analyse de son comportement à l'école et lui fera passer une batterie de tests.

A. L'histoire familiale

Voici les aspects qu'il étudiera :

1. Le développement de votre enfant, son histoire médicale et son parcours scolaire ;
2. Les antécédents psychiatriques familiaux ;
3. Les examens de dépistage, les diagnostics antérieurs ;
4. La liste de ses comportements remplie par les parents, les enseignants, etc. ;

5. Ses aptitudes à vivre en société à la maison, à l'école, dans le voisinage ;

6. Les réactions des membres de la famille aux comportements de votre enfant et comment ils les expliquent ;

7. Ses habitudes de sommeil ;

8. Son régime alimentaire et ses allergies ;

9. Une analyse des facteurs relatifs au comportement de votre enfant, incluant :

   a) ses interactions avec sa mère, son père, ses frères et ses sœurs ;

   b) ses réactions à la maison, à l'école, dans des réunions, avec le voisinage ;

   c) ses réactions à la lecture, à l'écriture, aux devoirs, aux jeux vidéos, etc. ;

   d) son comportement le matin, après l'école, à l'heure des repas, lorsqu'il s'ennuie, à l'heure du coucher, etc.

B. Une rencontre avec votre fils

Au cours de cet entretien, il tentera de déterminer les points suivants :

1. Ce qu'il comprend et pense de ses difficultés ;

2. Son portrait émotionnel.

C. Une analyse du comportement de votre enfant à l'école. Cette analyse lui permettra de dresser un portrait de votre enfant en classe. Il s'appuiera sur les éléments suivants :

1. Une liste de comportements élaborée par le professeur ;

2. Les réactions du professeur au comportement de votre enfant et comment il l'explique ;

3. Une période d'observation en classe afin de d'évaluer son attitude devant différentes tâches et différentes situations.

D. Une série de tests dans le but d'évaluer les points suivants :

1. Ses aptitudes cognitives générales ;
2. Ses acquis ;
3. Son attention à une tâche ;
4. Son langage ;
5. Ses aptitudes sensori-motrices.

Bibliographie

AZAR, Beth. «Defining the Trait That Makes Us Human», *APA Monitor,* vol. 28, n° 11, novembre 1997.

BARRISH, Harriet H., Ph.D., et I. J. BARRISH, Ph.D. *Managing Parental Anger,* Overland Press, 1985.

FRANCE. PROGRAMME NUTRITION SANTÉ. *La santé vient en mangeant : le guide alimentaire pour tous,* Site Internet : www.sante.gouv.fr./htm/pointsur/nutrition/

GRUSEC, J. E. «Effects of Co-Observer Evaluations of Imitation : A Developmental Toleration of Real-Life Aggression?», *Developmental Psychology,* n° 10, 1973, p. 418-421.

HUESMANN, L. R. «Psychological Processes Promoting the Relation between Exposure to Media Violence and Agressive Behavior by the Viewer», *Journal of Social Issues,* n° 42, 1986, p. 125-139.

JOY, L. A., M. M. KIMBALL et M. T. ZABRACK. «Television and Children's Aggressive Behaviour», dans T. T. Williams, *The Impact of Television : A Natural Experiment in Three Communities,* Academic Press, 1986.

KOHLBERG, Lawrence. «Moral Stages and Moralization : The Cognitive Developmental Approach», dans T. Lickona (ed.), *Moral Development and Behavior,* Holt, Rinehart and Winston, 1976.

LAMBERT-LAGACÉ, Louise. *Comment nourrir son enfant,* Montréal, Éditions de l'Homme, 1999, 204 p.

LEFKOWITZ, M. M., L. D. ERON, L. D. WALDER et L. R. HUESMANN. *Growing up to be violent,* Permagon Press, 1977.

McCALLS, R. B., R. D. PARKE et R. D. KAVANAUGH. «Imitation of Live and Televised Models by Children One to Three Years of Age», *Monograph of the Society for Research in Child Development,* n° 42, Série 173, 1977.

POTTS, R., A. C. HOUSTON et J. C. WRIGHT. «The Effects of Television for and Violent Content on Boys' Attention and Social Behavior», *Journal of Experimental Child Psychology,* n° 41, 1986, p. 1-17.

RHODES, Richard. *Why They kill: The Discoveries of a Maverick Criminologist,* Alfred A. Knopf, 1999.

SANTÉ CANADA. «Enfant en santé», *Guide alimentaire canadien pour manger sainement,* Site Internet: www.hc-sc.gc.ca/hpfb-dgpsa/onpp-bppn//healthy_children_f.html/

SINGER, D. et J. SINGER. «Family Experiences and Television Viewing As Predictors of Children's Imagination, Restlessness, and Aggression», *Journal of Social Issues,* n° 42, 1986, p. 107-124.

UNELL, Barbara et Jerry WYCKOFF. *Teachable Virtues,* Perigee Books, 1995.

PARENTS AUJOURD'HUI

Dans la même collection

Développez l'estime de soi de votre enfant, Carl Pickhardt, 2001

Interprétez les rêves de votre enfant, Laurent Lachance, 2001

L'enfant en colère, Tim Murphy en collaboration avec Loriann Hoff Oberlin, 2002

L'enfant dictateur, Fred G. Gosman, 2002

Ces enfants que l'on veut parfaits, Dr Elisabeth Guthrie et Kathy Matthews, 2002

L'enfant souffre-douleur, Maria G. R. Robichaud, 2003

Parent responsable, enfant équilibré, François Dumesnil, 2003

Éduquer sans punir, Dr Thomas Gordon, 2003

Des enfants, en avoir ou pas, Pascale Pontoreau, 2003

Ces enfants qui remettent tout à demain, Rita Emmett, 2003

Voyage dans les centres de la petite enfance, Diane Daniel, 2003

Questions de parents responsables, François Dumesnil, 2004

Mon ado me rend fou !, Michael J. Bradley, 2004

L'enfance du bonheur, Dr Edward M. Hallowell, 2004

L'enfant qui dit non, Jerry Wyckoff et Barbara C. Unell, 2005

Retrouver son rôle de parent, Dr Gabor Maté et Gordon Neufeld, 2005

Table des matières